LE REGARD DU MIROIR

Jean Daigle

LE REGARD DU MIROIR

Mère et fille

suivi de

Père et fils

CARTE **BLANCHE**

Couverure: Julien Del Busso

Les Éditions Carte blanche
1209, avenue Bernard Ouest
Bureau 200
H2V 1V7
Téléphone: (514) 276-1298
Télécopieur: (514) 276-1349
Courriel: carteblanche@vl.videotron.ca

Distribution au Canada
FIDES
165, rue Deslauriers
Saint-Laurent (Québec)
H4N 2S4
Téléphone: (514) 745-4290
Télécopieur: (514) 745-4299

Dépôt légal: 3ᵉ trimestre 2001
Bibliothèque nationale du Québec
ISBN 2-922291-85-5

MÈRE ET FILLE

À mes beaux-frères
Jacques Barbeau,
Paul Racine
et Yvon Parent

PERSONNAGES

MÈRE

La soixantaine. Actrice très connue. S'est faite elle-même. Vient d'un milieu très modeste. En garde des traces involontairement. Ni snob, ni Marie-Chantal, mais très sûre d'elle. Impitoyable pour les autres, quels qu'ils soient.

FILLE

La quarantaine. Femme sensible et chaleureuse. Ferme. Capable de formuler ses idées clairement. A hérité de sa mère une certaine assurance. Mère très heureuse. Bien mariée.

SARAH

La chienne caniche. Elle jappe.

Le décor monochrome est inspiré de la période bleue de Picasso. C'est une pièce de séjour confortable et de bon goût.

(Au lever du rideau la mère et la fille sont en scène. La fille est assise quelque part et la mère parle au téléphone.)

MÈRE

(Au téléphone.) Je te l'ai dit cent fois, je déteste le gris. Premièrement, ça n'est pas une couleur, c'est même le contraire... *(Fort.)* C'est terrible pour le teint et c'est trop triste... Non, je ne porterai pas ce costume gris, même si l'auteur l'a écrit dans le texte... La vérité du personnage, c'est moi qui la donnerai, pas le vêtement... C'est à prendre ou à laisser... Je ne fais pas de chantage, je dis les choses comme elles sont... Bon, j'ai assez discuté. Tu me déranges, j'ai quelqu'un... Inutile, je ne changerai pas d'opinion. Au revoir !... *(Elle raccroche.)* Ces costumiers ! Tous les mêmes. Ils savent toujours mieux que toi ce qui te convient ! Me faire porter du gris ! Ils n'ont aucun sens esthétique. Ah ! Quelle engeance ! C'est à qui t'embêterait le plus. Quand ce n'est pas le costumier, c'est le coiffeur, le décorateur, le metteur en scène ou les autres comédiens ! Quel métier !... Tu vois ? C'est comme ça chaque jour ! Sur le qui-vive, sans ça, c'est l'amateurisme !... Il faut se battre à n'en plus finir pour arriver à s'imposer. Tu t'imagines quelle journée je vais passer, maintenant ?... Ahhh ! Ça me met dans un état !... Par-dessus le marché, tu m'arrives comme une fleur. Aujourd'hui précisément. Vingt-trois ans sans nouvelles de toi, ça sonne à la porte, j'ouvre, et tu es là devant moi. Je ne te reconnais même pas. Ma propre fille ! Tu aurais pu prévenir ! On ne tombe pas à pieds joints chez les gens sans les avertir, c'est la simple politesse.

FILLE

Est-ce que tu m'aurais reçue, si je t'avais annoncé mon arrivée ?

MÈRE

Comment veux-tu que je le sache ? Tu as de ces questions oiseuses !

FILLE

Voilà pourquoi j'ai préféré m'amener ici sans crier gare.

MÈRE

Bien sûr, quoi faire devant le fait accompli?

FILLE

Je m'attendais pas à ce que tu sautes de joie en me retrouvant, tu sais.

MÈRE

Tu t'imagines tout de même pas que j'allais fondre en larmes ou perdre connaissance en t'apercevant? Pour qui me prends-tu?

FILLE

Oh! avec toi, on sait jamais quand ton côté tragédienne va ressortir.

MÈRE

Je te prierais de ne pas mêler ma carrière de comédienne à nos vies privées. À la tienne, surtout, qui doit être tellement médiocre.

FILLE

D'accord. Je n'ai rien dit. Excuse-moi. Je ne recommencerai pas.

MÈRE

Et ne joue pas les gamines en pénitence. S'il vous plaît.

FILLE

Entendu! Entendu!

MÈRE

Si tu es là pour me faire étriver...

FILLE

Mais non, ça n'est pas mon intention.

MÈRE

J'ai assez de mes embêtements sans que tu en rajoutes.

FILLE

(Ferme.) Je te répète que je ne veux pas t'agresser. Et je souhaiterais que tu me parles comme une mère parle à sa fille... Même si t'es pas fière de moi.

MÈRE

Toi, tu devrais être fière d'être ma fille, par exemple. Très fière, même!

FILLE

Je suis la fille d'une célèbre actrice, c'est vrai. Et tu es la mère d'une fille anonyme, c'est vrai. Je devrais m'en souvenir.

MÈRE

C'est ta faute, si tu es anonyme, comme tu dis. Tu n'as jamais voulu suivre mes traces. Avec le talent que tu avais hérité de moi, comme de raison, tu aurais pu devenir une interprète convenable, sinon une actrice de mon tempérament. Tout le monde ne peut pas atteindre l'excellence, soit! On a le don ou on ne l'a pas. Mais il y a plein d'acteurs qui gagnent leur vie décemment, même s'ils n'ont pas l'étoffe pour devenir des têtes d'affiche.

FILLE

Deux artistes dans la famille, c'était déjà trop, avec papa et toi.

MÈRE

Tu ne vas pas parler d'artiste au sujet de ton père, au moins. Le pauvre homme est un raté, tu le sais bien. Il n'a fait que végéter dans des emplois de quatrième ordre. Et le voilà qui fait de la figuration dans les téléromans, pour finir le plat. On ne peut pas appeler ça une réussite. Faut dire qu'il n'a aucune ambition. Il n'en a jamais eu, d'ailleurs. Il s'est toujours contenté de flâner dans les coulisses pour être heureux.

FILLE

Que veux-tu, c'est mon père.

MÈRE

Ça!...

FILLE

Tu en doutes?

MÈRE

Non, évidemment. Au lit, il avait tous les dons, je le reconnais. C'était le domaine où il excellait. Le seul, hélas!

FILLE

C'est pour ça que tu l'as épousé? Parce qu'il baisait bien?

MÈRE

Dis tout de suite que je suis nymphomane!

FILLE

Ça compte dans un mariage. D'autant plus que tu lui trouves aucune autre qualité, fallait bien que tu aies une raison de le marier.

MÈRE

Je l'ai épousé par... par pitié, tiens. Oui, par pitié. Il m'aimait... Il me l'a dit, il me l'a écrit, il me l'a chanté sur tous les tons!... Non, il aimait ma célébrité. Lui, il n'était rien. Tandis que, moi, j'étais connue depuis l'âge de quinze ans. Il a cru que je lui apporterais la renommée. Erreur! Le talent, ça ne s'invente pas, ça ne s'achète pas. Ton père en était dépourvu. Il était le seul à ne pas le savoir, tout le monde le disait. Il manquait totalement d'envergure, pas étonnant.

FILLE

Évidemment, il pouvait pas te porter ombrage, ça t'arrangeait.

MÈRE

Ah! non, ça l'arrangeait lui, pas moi. Il profitait des retombées de ma popularité, tu penses bien. Et il ne s'en privait pas, je t'assure.

FILLE

Alors, je comprends pas pourquoi tu lui as dit oui, à l'église par-dessus le marché. Dans la plus stricte légalité. Et en grande pompe!

MÈRE

J'avoue que ça n'est pas ce que j'ai fait de plus intelligent, disons. J'ai été bien punie de mon étourderie, grands dieux!

FILLE

Toi qui calcules toujours tes gestes, tu t'es gourée cette fois-là! Ça m'étonne que t'aies pas prévu les conséquences de ta décision.

MÈRE

Ah! l'événement a fait un bruit du tonnerre à l'époque. Tu as vu les photos de notre mariage dans les journaux? Je te les ai déjà montrées? C'était la sensation de l'année. Non, au niveau de la publicité, c'était parfaitement réussi. Un succès monstre... Malheureusement, à peine si j'avais enlevé ma robe de noces, je me retrouvais enceinte. De toi! Beau résultat! Enfin!...

FILLE

Bien sûr, s'il y avait eu la pilule, je serais pas là. Ça crève les yeux.

MÈRE

Autrefois, ma fille, il n'y avait que l'avortement clandestin comme solution radicale. Et ça m'effrayait. Tu devrais me remercier d'être là. Avec tous les emmerdements que ça m'a causé...

FILLE

Merci, ça fait plaisir de savoir qu'on a été désirée.

MÈRE

Dans mon temps, bien des mères ne désiraient pas leurs enfants, elles les acceptaient. Comme j'ai fait.

FILLE

Autrement dit, tu t'es sacrifiée.

MÈRE

Oui. Parce que je n'avais pas que toi à... à... subir. Ton père, au bout de six mois, j'en avais jusque-là. Mais, pour toi, j'ai... enduré. Pourtant, on m'enviait. J'avais chez moi le plus bel homme de la colonie artistique. Nous étions le couple idéal. Pour ça, il était superbe, je l'admets.

FILLE

Il est encore très bien.

MÈRE

Tu l'as vu récemment?

FILLE

Oui. Hier.

MÈRE

Avant de me voir?

FILLE

Oui. Il m'attendait à l'aéroport. Je lui avais écrit.

MÈRE

C'est un comble.

FILLE

Pour quelle raison aurais-je dû te voir avant papa?

MÈRE

Parce que je suis ta mère, d'abord. Et, deuxièmement, parce que je suis plus importante que ton père.

FILLE

Pour les médias peut-être, mais pas pour moi.

MÈRE

Tu vois comment tu es? À quarante ans passés, tu n'as pas encore réussi à assumer ma célébrité. Moi, si j'avais eu une mère connue, j'aurais été tellement... orgueilleuse, il me semble. J'ai pas eu cette chance là, malheureusement, avec une mère ménagère de profession et un père journalier alcoolique. *(On entend japper un caniche.)* Sarah, tais toi! Je l'ai appelée Sarah, comme l'autre. À cause de sa tête frisée, elle lui ressemble. Le museau pointu, les yeux perçants... tout y est.

FILLE

Sarah Bernhardt serait sûrement flattée. Mon chien s'appelle Kito.

MÈRE

Je reconnais que ce n'est pas banal. C'est japonais ou quoi?

FILLE

Mon chien est un bâtard de ruelles et il ne ressemble à personne de connu.

MÈRE

J'aurais pu l'appeler Princesse comme toutes les chiennes. Mais il y a eu un article et des photos dans le *Photo-Star* quand je l'ai eue. Alors, j'ai cherché un nom qui soit plus... plus...

FILLE

Célèbre.

MÈRE

Voilà!

FILLE

Puisque tu l'es, ta chienne se devait de l'être forcément.

MÈRE

Eh! oui, je suis célèbre. J'ai tout fait pour l'être. Je ne vais pas le renier maintenant.

FILLE

Ah! pour la célébrité, je te lève mon chapeau. Tu es tout ce qu'il y a de plus vue, de plus adulée, de plus photographiée, de plus vedette. Tu pues la célébrité. On te voit à toutes les sauces : tes amours, tes ruptures, tes voyages, tes robes, tes frasques, tes réconciliations, tout est publié, commenté, exagéré, caricaturé. Il y a de quoi en faire une indigestion. C'est presque indécent!

MÈRE

Mais tu as l'air d'oublier que je suis une personne intéressante pour le public. Je ne m'appelle pas Greta Garbo pour me promener avec des cloches sur la tête et des verres fumés sur le nez. Je VEUX qu'on me voie, je VEUX qu'on parle de moi.

FILLE

Tu y réussis à merveille. Tu es la coqueluche des potineurs.

MÈRE

Parfaitement. On parle de moi depuis 50 ans et j'ai bien l'intention que ça continue, que ça te plaise ou non. Si tu es venue pour me sermonner...

FILLE

De toute façon, il y a un bon côté à toute cette réclame. J'ai pu suivre ton itinéraire de ma banlieue de Vancouver pendant les dernières vingt années. Pas besoin d'acheter les journaux, suffit de regarder aux étalages, tu es toujours à la première page.

MÈRE

Ça s'appelle avoir le sens de la publicité, ça, ma fille. C'est un travail à plein temps. Il faut profiter de toutes les occasions. Tiens, je n'aurais qu'un coup de fil à donner et trois reporters arriveraient pour des entrevues sur le retour de ma fille. Ça te plairait? Oh! oui, ça ferait un papier extraordinaire. Allez, j'appelle. *(Elle y va.)*

FILLE

Je te défends. Fais ça et je m'en vais immédiatement. *(Mère s'arrête.)*

MÈRE

Qu'est-ce que je te disais? Tu n'as aucune espèce d'opportunisme. Comme ton père. Tu refuses la chance quand elle se présente. Une occasion unique et tu fais la fine gueule.

FILLE

Si tu crois que je suis venue pour te servir de prétexte à reportage.

MÈRE

Tu as honte de moi, peut-être? Dis-le, te gêne pas!

FILLE

Ça n'a rien à voir. Je suis pas là pour la presse. Point. Tout à l'heure, tu me priais de pas mêler nos vies privées à ta carrière.

MÈRE

Ce que je t'offre, c'est pour toi. Tu n'as pas eu ta photo dans un journal depuis que tu étais petite. Moi, je peux avoir toute la notoriété que je veux, quand je veux. Tant pis! Tu n'en veux pas... Tu es sûre? penses-y bien, ça ne reviendra pas de sitôt, probablement.

FILLE

Je m'en passe très bien, t'en fais pas. Inutile d'insister.

MÈRE

... N'empêche que ça ferait une belle couverture en couleurs: toi et moi dans les bras l'une de l'autre, souriantes, émues. Avec un gros titre: «RETOUR DE L'ENFANT PRODIGUE». Je vois ça d'ici, ça serait l'événement du jour, j'en suis certaine. Allez, dis oui pour me faire plaisir.

FILLE

Tu m'as même pas embrassée quand je suis arrivée et tu nous vois dans les bras l'une de l'autre à la une des journaux! Quelle actrice! Te rends-tu compte de ce que tu me proposes? Ça frise le ridicule.

MÈRE

Il faut ce qu'il faut. Je joue autant pour la presse que sur la scène. Alors, s'il faut embrasser quelqu'un, que ce soit toi ou une autre personne, je le fais. À mon corps défendant, d'ailleurs. Parce que j'ai une peau très sensible. Je dépense une fortune en crèmes médicamentées pour éviter les irritations dues au maquillage. Je ne vais pas en remettre en embrassant tout le monde pour un rien, si ça ne rapporte... euh!... rien, justement. Si on me paie, j'embrasse, voilà! Autrement...

FILLE

Bien sûr, je comprends. Ne m'explique pas davantage.

MÈRE

Tu ne me crois pas?

FILLE

Si, si, je te crois.

MÈRE

C'est bien ce que je dis, tu ne me crois pas.

FILLE

Déjà, quand j'étais toute jeune, si je voulais t'embrasser avant de partir pour l'école, tu me repoussais. Alors, tu me surprends pas.

MÈRE

Ça prouve que ce n'est pas d'hier que j'ai des problèmes d'épiderme. Est-ce que je devrai te montrer mes factures de dermatologiste?

FILLE

N'en parlons plus, veux-tu? Ça nous mènera nulle part.

MÈRE

Tu n'as pas changé toi non plus. Quand un sujet ne fait pas ton affaire, tu passes à autre chose. Ton père, tout craché!

FILLE

Est-ce qu'un argument sur la fragilité de ta complexion est si important?

MÈRE

Et comment! Tu me vois à l'écran du cinéma ou de la télévision avec des rougeurs ou des rugosités affreuses? On ne m'engagerait plus!

FILLE

Tu as raison, ça serait épouvantable.

MÈRE

Moque-toi mais je te mets au défi d'avoir mon allure quand tu auras mon âge.

FILLE

Celui que tu as ou celui que tu avoues?

MÈRE

Pour moi, c'est le même.

FILLE

À force de mentir, on finit par se croire, je suppose.

MÈRE

Il n'y a qu'une façon de ne pas vieillir, c'est de rester jeune.

FILLE

(Amusée.) C'est l'évidence. Je parle pour rien dire.

MÈRE

Ah! tu l'admets.

FILLE

Oui, maman.

MÈRE

Et puis, ne m'appelle pas maman, je t'en prie. J'ai horreur de ça. Ça sent le biberon et les couches, sans oublier la poudre à fesses! Pouah!

FILLE

J'oubliais! Excuse-moi. Ça aussi, c'est une de tes allergies.

MÈRE

Je n'ai jamais compris comment des femmes peuvent faire un métier d'élever des marmots morveux, pour ne pas dire merdeux. J'ai eu un accident, je l'avoue. Tu en es la preuve vivante. Mais, heureusement, j'ai eu la décence de ne pas récidiver. Par malheur, je porte encore des marques. Au point que je ne peux pas porter un bikini sans montrer à l'univers entier que j'ai eu un enfant. Crois-moi, on paie pour ses bêtises de jeunesse. C'est là, inscrit sur mon ventre, comme un tatouage humiliant. Imagine les stratagèmes qu'il faut inventer quand tu es avec un homme pour éviter qu'il voie tes... *(À peine prononcé.)* vergetures. Ça m'en donne des frissons. Parce que je retourne à ce long cauchemar qu'a été ma grossesse. Juste le mot me fait vomir... Quel supplice! Chaque matin, le cœur te chavire dans l'évier durant des semaines. Tu ne peux pas sentir un relent de cuisine sans que les nausées te prennent à la gorge. Les plus bizarres goûts te viennent comme des flèches: en pleine nuit, tu veux des fraises ou du gorgonzola. Tu grossis que c'en est dégoûtant. Tu finis par ressembler à une baleine échouée quand tu t'assois. Tu marches les jambes écartées comme un gars de chantiers. Et, le pire, tu te fais bombarder de coups de pieds à la journée longue. T'en as les reins en compote et tu souhaites une seule chose: LA DÉLIVRANCE! Quel soulagement!... Pendant neuf mois, tu as été parasitée littéralement par un chancre qui s'est nourri à tes flancs. Quand le moment arrive d'accoucher, les tranchées te tordent les boyaux à te faire crier. T'en perds le respire à force de pousser pour chasser de toi au plus vite cette chose hurlante, gluante et bleuâtre qui veut s'en prendre à tes seins? Holà! ça suffit! J'ai refusé. Les vaches sont là pour ça... Comment peux-tu aimer un enfant qui t'as massacrée pendant des mois et qui braille à fendre l'air et le jour et la nuit? Il a des coliques. Il fait ses dents! Il a la rougeole, la picote, la diarrhée, le rhume. Quelle horreur! T'en finis plus d'une corvée à l'autre!... Moi, je suis une femme, pas un incubateur, ni un garde-manger.

FILLE

L'instinct maternel est pas automatique... Il y a aussi des chattes qui s'occupent pas de leurs petits, elles vont même jusqu'à les manger. La nature est pleine de contradictions. Chez les humains, surtout.

MÈRE

Qu'on ne vienne pas me servir la maternité comme un sommet de la féminité! J'aurais été aussi femme sans enfant. Le hasard a voulu que je devienne mère. Et c'est sûrement mon plus mauvais rôle.

FILLE

À ce sujet-là, au moins, tu es très lucide face à toi.

MÈRE

Que veux-tu, les mères-poules je trouve ça débile. Il y a autre chose de mieux à faire dans la vie.

FILLE

Ça dépend des choix. Je pense qu'il est aussi honorable d'élever des enfants que de se donner en spectacle pour de l'argent.

MÈRE

Comment oses-tu m'insulter de cette façon?

FILLE

Je constate simplement que t'as pas le monopole de ce qui se fait et qui se fait pas. T'as pas à t'ériger en autorité sur rien. Même pas sur ton métier, parce qu'il y a bien d'autres actrices qui te valent. Cesse de jouer. Avec moi ça prend pas.

MÈRE

Si tu es venue ici pour m'enguirlander, tu peux partir, je t'ai assez vue.

FILLE

Non, je suis venue te voir pour essayer de faire la paix. J'avais aucune intention de t'engueuler ou de te dire des bêtises. Mais on dirait que tu sais toujours sur quelle ficelle tirer pour me faire déborder. Et Dieu sait que je fais des efforts pour être calme.

MÈRE

Qu'est-ce que ce serait si tu laissais aller? Tu me giflerais, je suppose? Comme on fait dans les films de série B?

FILLE

Rassure-toi, je suis pas si agressive. Je sais me contrôler, moi.

MÈRE

As-tu envie de dire que je déborde? Nuance, moi j'ai de la dignité, je ne me laisse pas monter sur le dos sans réagir. Je ne suis pas une mauviette et je ne vais pas pleurnicher chez ma mère.

FILLE

Que je suis naïve! J'ai cru que le temps... et l'âge t'auraient apporté plus de compréhension. Je me suis trompée, t'as pas évolué d'un cran. La vie t'a rien appris. Tu es restée un... un... une montagne d'égocentrisme.

MÈRE

Appelle ça comme tu voudras. Moi, j'appelle ça des tripes. Et tiens-toi-le pour dit, je ne reçois de réprimandes de personne. Compris? De personne. Je me suis faite moi-même, je ne dois rien aux autres. Alors, j'ai le droit de les envoyer promener où bon me semble. Il n'y a aucune place dans ma vie pour les remontrances. Point.

FILLE

(Essayant de se calmer.) Écoute, on pourra jamais arriver à rien sur ce train là, mam... maman. Que tu aimes ça ou non, tu es ma mère, je t'appellerai maman si ça *me* plaît, même si ça *te* déplaît.

MÈRE

Oh! tu sais au théâtre, je me suis souventes fois fait appeler maman, ça change pas grand-chose si tu veux le faire toi aussi. Au théâtre comme dans la vie, hein? Quelle différence?

FILLE

(Longue respiration.) Qu'est-ce que tu dirais qu'on reparte cette conversation à zéro? Comme si je venais tout juste d'arriver. Hein?

MÈRE

Quand on rate son entrée en scène, on n'a pas le loisir de se reprendre, on joue sans filet.

FILLE

D'accord, la pièce doit continuer, les dialogues sont là pour ça. Où en étions-nous avant la digression sur la maternité?

MÈRE

Nous parlions de moi, puisque c'est contre moi que tu en as. Tu es là pour laver le linge sale, évidemment.

FILLE

Je te demande d'essayer de converser... amicalement, disons. Fais comme si on jouait les rôles de la mère et de la fille, en partant du principe qu'on ne choisit ni sa mère, ni sa fille.

MÈRE

Hélas! C'est bien pourquoi les enfants qu'on met au monde sont de pauvres spécimens très souvent. Et on ne les choisirait certainement pas. Tu prends ce qu'on te donne. Tant pis si la chimie s'est mal faite. Tu te retrouves avec un vaurien ou une sainte-nitouche. Essaie de faire quelque chose avec des enfants tarés.

FILLE

Les enfants demandent rien de ce qu'ils reçoivent en naissant et les parents savent pas ce qu'ils leur transmettent non plus. Chaque enfant est un coup de hasard. Ce qui fait qu'il y a des échecs.

MÈRE

Je ne te le fais pas dire.

FILLE

(Dure.) On est pas en échec parce qu'on ressemble pas à sa mère, tu devrais en savoir quelque chose. Comment peux-tu me traiter comme tu le fais?

MÈRE

Je n'ai mentionné personne.

FILLE

C'est pire. Tu insinues toujours. Comme une vipère. Une renarde prête à dévorer ses petits sous prétexte de les protéger.

MÈRE

Ce que tu peux être montée contre moi, ma pauvre fille! Tu as cultivé ça pendant toutes ces années? Je ne peux pas croire que tu as vécu avec tant de rancœur.

FILLE

Les blessures de l'enfance ne cicatrisent jamais.

MÈRE

Évidemment, quand on passe son temps à gratter ses bobos, ils saignent et on a mal.

FILLE

Si seulement tu pouvais comprendre que c'est parce que tu aimais ta mère que tu lui en voulais tant.

MÈRE

Nous y revenons. Telle mère, telle fille! Freud révisé par les féministes: ma mère — mon miroir et le reste. Je refuse la culpabilité, et tout ce qui vient avec, moi.

FILLE

Quand moi, j'ai mal à toute le monde. Aux enfants qui meurent de faim, aux victimes de la guerre, aux itinérants dans la rue...

MÈRE

Tu te promènes comme une plaie ouverte, comment veux-tu éviter de souffrir? C'est du masochisme à la fin, cette manie de la persécution.

FILLE

Nous sommes deux étrangères. Pas parce que nous avons été séparées, mais... de naissance. Nous n'avons absolument rien en commun. Rien!

MÈRE

Le jour où on comprendra que nos enfants sont des êtres humains à part entière, on cessera de vouloir les garder pour soi. Nos enfants ne nous appartiennent pas. Ils font partie de la chaîne depuis le paradis terrestre comme tout un chacun.

FILLE

Belle image de la famille!

MÈRE

C'est la mienne.

FILLE

Je suis payée pour le savoir. Je n'ai jamais eu l'impression d'avoir des parents comme le reste de mes amis.

MÈRE

J'en ai rien à faire de mes frères et sœurs et cousins et cousines et neveux et nièces. C'est le dernier de mes soucis.

FILLE

Naturellement, ta fille dans tout ça... elle est absente. Tu prends tout l'espace vital pour toi toute seule.

MÈRE

C'est toi qui veux une place dans ma vie...

FILLE

Juste!... Malheureusement, les enfants s'illusionnent sur leurs parents. Ils les voient avec les yeux du cœur... toujours, même quand il les haïssent, comme toi, tu détestes les tiens.

MÈRE

Il me fallait en arriver là pour en sortir. Sans ça, ils m'auraient retenue dans leur stagnation éternelle. J'ai coupé le cordon. Avec mes dents!

FILLE

J'imagine combien ta mère a dû avoir de peine.

MÈRE

Elle était pas du genre à s'apitoyer sur ses petits.

FILLE

Si elle a laissé rien voir, ça veut pas dire qu'elle a pas eu de chagrin.

MÈRE

Je n'en ai jamais rien su... et ça m'est égal.

FILLE

Moi, personnellement, je suis coiffée de mes enfants, comme disait grand'maman.

MÈRE

Laquelle disait ça? Ma mère?

FILLE

La mère de papa.

MÈRE

Dieu du ciel! Elle était pas difficile quand on regarde tes oncles et tantes, sans parler de ton père. Ah! elle avait une religieuse, ça rachetait tous les autres, je suppose. Elle était tellement bigote. *(Réalisant.)* Tu as des enfants? Plusieurs?

FILLE

J'en ai trois. Une fille et deux garçons.

MÈRE

Quoi? Trois enfants? Dans quel état ton ventre doit être? J'aime mieux ne pas le savoir. J'en ai la chair de poule seulement à y penser. *(Temps.)* Tu as trois enfants? De qui?

FILLE

De mon mari. De qui veux-tu que ce soit? C'est normal, non?

MÈRE

Tu es mariée en plus?

FILLE

Depuis 21 ans.

MÈRE

Avec le même homme?

FILLE

Oui.

MÈRE

Non! Que tu dois t'emmerder! Vingt ans avec le même! Faut le faire. Et tu trouves jamais le temps long?

FILLE

Des fois, il y a des passages plus difficiles. Mais, en général, c'est très agréable, les mauvais moments sont vite oubliés. Nous sommes une espèce de tribu qui partage le meilleur et le pire.

MÈRE

Je ne te crois pas, c'est impossible.

FILLE

Si tu veux. Je te dis la vérité, pourtant.

MÈRE

La vérité, c'est que tu ne veux pas me la dire, la vérité.

FILLE

Ah! tu peux croire ce que tu veux, puisque tu sais mieux que moi ce que je vis. C'est bien connu que tu détiens la clé de tout. Et que tu t'autorises à faire la morale. C'est le monde à l'envers.

MÈRE

Revenons-en aux enfants, je vais te prouver que j'ai raison. Ma mère a eu huit enfants. Je ne l'ai jamais vue heureuse. Jamais. Au grand jamais. Elle avait la tristesse inscrite sur la figure, du matin au soir et du soir au matin, 365 jours par année.

FILLE

Pourtant, quand j'allais la voir, elle riait, elle chantait. En faisant la cuisine, le ménage, le lavage, je t'assure. Elle jouait pas comme tu le fais, en faisant sa besogne.

MÈRE

Des ouvrages d'esclave. Elle chantait pour ne pas pleurer, oui.

FILLE

(Ferme.) Elle chantait parce qu'elle était heureuse. J'en ai la certitude. Je le sais, je suis comme elle.

MÈRE

Torcher les autres jusqu'à en crever, tu appelles ça le bonheur? C'est ce qui t'attend avec tes trois petits qui vont te gruger jusqu'à l'os, si tu n'y mets pas un frein. Tu peux me croire.

FILLE

(Colère refoulée.) Mes enfants m'aiment. Tu peux pas comprendre ça. Ils m'aiment parce que je les aime. Ce que t'as jamais su faire... Avec toi, c'est toujours : me, myself and I, pas de place pour les autres!

MÈRE

(Temps.) Ils ont quel âge, tes enfants?

FILLE

Seize, dix-huit et dix-neuf. Ce ne sont plus des bébés depuis longtemps. Mais, ça ne fait aucune différence, ils sont mes adorations.

MÈRE

(Temps.) Ils sont bien au moins? Ça serait la moindre des choses...

FILLE

Tu veux voir des photos?

MÈRE

Si ça t'amuse, je veux bien. Toute bonne maman se doit d'avoir les photos de sa progéniture, bien sûr. Tu me les montres?

FILLE

Je vais les chercher, elles sont dans mon sac. *(Elle y va.)*

MÈRE

(La chienne jappe.) Sarah, je t'ai déjà dit qu'on ne jappe pas après les oiseaux. Tu mériterais que je te tape sur le nez, méchante fille!

FILLE

(Revenant.) Pardon?

MÈRE

Je parlais à Sarah. Elle a la vilaine manie de japper après les oiseaux.

FILLE

Ah! *(S'assoit.)* Voilà les photos. Tous les trois sont amateurs de natation. Nous avons une piscine depuis leur petite enfance.

MÈRE

Ils sont très beaux. Et je m'y connais... Ta fille me ressemble. Elle est raffinée. Belle tenue. De la classe. Les garçons sont plus... vulgaires, dans le sens «ordinaires», je veux dire. Mais ils sont costauds.

FILLE

Ma fille se destine à l'horticulture. Mes fils sont plutôt doués pour la mécanique. Comme leur père. Ils sont très sportifs, également.

MÈRE

Au fait, ton mari, il fait quoi?

FILLE

Il est chauffeur d'autobus long parcours, vers les États-Unis.

MÈRE

Ma fille a fait trois enfants avec un chauffeur d'autobus. C'est une blague? Tu me fais marcher. Dis-moi, qu'est-ce qu'il fait, ton mari?

FILLE

Mais tu as bien entendu. Je couche tous les soirs avec un chauffeur d'autobus depuis plus de vingt ans. Et je m'en plains pas.

MÈRE

J'ai honte. Il n'y a pas d'autre mot. Ça m'a servi à quoi de te mettre pensionnaire dans les meilleurs couvents, alors?

FILLE

À me faire détester les sœurs pour le restant de mes jours. Non, j'exagère. Elles m'ont appris beaucoup et je les en remercie.

MÈRE

Évidemment, tu n'as pas envoyé tes enfants au pensionnat!

FILLE

Non. J'ai toujours été là pour eux, je n'ai pas eu à les confier à des inconnus pour m'en débarrasser et faire la belle vie.

MÈRE

Et, pan! Tu ne me l'envoies pas dire.

FILLE

Tu es assez «vieille» pour le savoir, tu ne penses pas?

MÈRE

Ce que tu oublies, c'est que le pas que j'avais fait en faisant une carrière, tu l'as défait en redevenant mère à plein temps. Et on parle de libération de la femme!

FILLE

J'ai choisi mon rôle... Contrairement à toi qui dois jouer les rôles qu'on te donne à jouer, en te payant.

MÈRE

Je préfère ne pas répondre à ça. Tu sais fort bien qu'il n'y a aucune comparaison entre ton rôle et le mien.

FILLE

Entendu. *(Temps.)* Je suis contente de l'éducation que j'ai reçue, je tiens à ce que tu le saches. Elle m'a servi énormément, même si j'ai trouvé ça dur autrefois. C'est normal, quand on a sept, huit ou douze ans ou quatorze ans.

MÈRE

Moi, à quatorze ans, j'ai quitté ma famille. Je me suis débrouillée pour sortir de la misère. À coups de griffes. Je n'ai reculé devant rien. Tu peux me croire que j'en ai vu de toutes les couleurs. Et j'en ai braillé. Et j'en ai bavé. Toi, tout t'est tombé rôti dans le bec. Moi, malgré tout, je suis arrivée au sommet. Tandis que toi, tu finis avec un chauffeur d'autobus. Et je parie qu'il est moche, bedonnant et chauve.

FILLE

J'ai sa photo. Tiens, c'est lui... avec moi, en costume de bain, je m'excuse.

MÈRE

Ah! j'avoue qu'il est bien. Très bien. Tu tiens ça de moi, tu as du goût pour les hommes.

FILLE

Pour un homme.

MÈRE

Oh! c'est toujours le même homme, tu sais, seul le nom diffère. Même si on a cinquante amants, ils se ressemblent tous.

FILLE

À quoi bon changer, alors? *(Mère dépose les photos sur la table. Elles restent là jusqu'à la fin de la pièce.)*

MÈRE

Pour... briser la monotonie, disons. Et puis, je n'ai jamais eu besoin des hommes pour me faire vivre. C'est surtout le contraire qui est arrivé. Avec ton père, par exemple, que j'ai entretenu pendant les sept ans que je l'ai enduré. Pour toi. Parce que, moi, je l'aurais balancé bien plus tôt. Mais je ne voulais pas te priver de ton papa, je me suis abstenue. Dès que tu as été au pensionnat, il est parti; il s'est enfin senti de trop. Ouf! j'ai respiré. J'étais libre. Et je le suis restée. J'ai compris du premier coup que le mariage était une invention stupide. Tout juste bonne pour les femmes en mal de soumission et pour les hommes en quête de domination. C'est une institution. Le mot lui-même ronfle d'ennui!

FILLE

Et tant pis pour moi et celles qui me ressemblent! Tu t'es découvert un paradis à ta mesure où il n'y a aucune place pour autrui. Tant mieux!

MÈRE

Les gens comme toi attendent trop des autres pour faire leur bonheur. Non, le vrai bonheur, on se le donne. Pas besoin de mari ou d'enfants pour ça, puisqu'ils ne font que prendre. Tu ne te sens pas vidée des fois? Utilisée? Exploitée? Prise en otage?

FILLE

(Amusée.) Tu me fais rire avec très grands mots. Je changerais tellement pas ma vie pour la tienne, si tu savais!

MÈRE

Et moi donc! Je refuserais ton rôle, même au théâtre, tiens. Les victimes, moi, c'est pas mon emploi. Oh! la, la! Jamais. J'ai trop vu ma mère. Bête à pleurer... En somme, ma mère n'a été qu'une servante. C'est honteux!

FILLE

Comment peux-tu parler ainsi de ta mère?

MÈRE

Tu ne comprends pas qu'une fille n'aime pas sa mère et en ait honte?

FILLE

Non.

MÈRE

Parce que tu m'aimes, toi?

FILLE

Oui.

MÈRE

Tant pis pour toi. Moi, ma mère, je ne l'aime pas.

FILLE

Pourquoi?

MÈRE

Comment veux-tu que j'aime une femme qui se laissait abuser à longueur d'année? Qui faisait neuvaine sur neuvaine pour la conversion de mon père qui la battait? Qui remerciait Dieu et ses pareils de lui envoyer des épreuves? Qui présentait la joue gauche quand elle avait reçu une taloche sur la joue droite, l'idiote? Quand je la voyais gémir en essuyant le sang qui coulait de sa bouche ou de son nez, j'avais envie de lui crier: «Qu'est-ce que tu attends pour te venger? Vas-y! Tue-le! Va-t'en! Fais quelque chose! Reste pas là à pleurnicher et à prier!»... Mais non, elle a enduré jusqu'à la fin, jusqu'à ce qu'il meure de cirrhose, confit dans l'alcool, trouvant encore le moyen de lui lancer à la tête tout ce qui lui tombait sous la main, lorsqu'il était incapable de se lever. Elle accumulait des mérites pour le ciel! Non, mais fallait-il être buse pour accepter ça? Hein? Si un homme avait osé lever le petit doigt sur moi, je l'aurais étranglé de mes mains. Mon père était un affreux macho, ma mère était une niaiseuse de la plus belle espèce, si tu veux mon avis. Et elle l'a pleuré quand il est mort! La crétine!

FILLE

C'est curieux comme j'ai pas cette image de mes grands-parents... Grand-papa, il m'emmenait au restaurant pour m'acheter de la crème glacée, je me souviens. Grand-maman, elle me faisait des robes pour ma poupée. J'ai jamais vu de chicane. J'ai vu grand-papa prendre un verre, sans plus.

MÈRE

L'hypocrisie des couples. Moi aussi, j'ai joué le jeu avec ton père devant les autres. Je me dégoûtais. Un jour, j'ai cessé. Et toi, qu'est-ce que tu fais? Tu joues pour la galerie!

FILLE

Je ne fais pas semblant, quoi que tu en penses. *(Très ferme.)*

MÈRE

Veux-tu me dire à quoi ça correspond ce besoin de tout partager? Et les repas, et les nuits et les jours, et les années, sans compter les humeurs, les odeurs et autres friandises? Qu'est-ce que c'est que cette promiscuité? Non, ce que je veux d'un homme, c'est qu'il soit là quand j'en ai besoin. Suffit! J'en ai rien à faire d'être une quelconque madame Chose.

FILLE

J'imagine ce que tu as dû pâtir pendant les sept ans que tu as vécus avec papa, quand tu me détailles ta perception du mariage.

MÈRE

Ton père, heureusement, était facile à manipuler. J'étais la plus forte. Je devais être en avance sur mon temps. Parce que les femmes commencent à comprendre, enfin! Sauf toi, avec ta vie de couple, l'un pour l'autre, l'un dans l'autre, l'un contre l'autre! Quelle horreur, ce mélange de globules! *(La chienne jappe.)* Sarah, si tu continues à japper, je t'enferme dans le placard. Cette chienne est insupportable. Il n'y a rien à faire avec elle.

FILLE

C'est un animal. Qu'est-ce que tu veux en faire?

MÈRE

Ça veut dire quoi, ça?

FILLE

Rien, sinon qu'elle a le droit de s'exprimer en jappant... puisqu'elle ne parle pas. On voudrait toujours que les animaux nous ressemblent.

MÈRE

(Dépassée.) Quelle sorte de raisonnement tu peux avoir, ma pauvre fille!

FILLE

Fais pas attention. Nous n'aimons pas les bêtes de la même façon.

MÈRE

Décidément, nous n'avons rien en commun. Des étrangères. Parfaitement. Je te donne raison sur ce point-là!

FILLE

(Temps.) Tu aurais dû te faire avorter, au lieu de m'avoir.

MÈRE

(Temps.) Je vais t'avouer une chose que personne ne sait. Deux ans avant ta naissance, j'ai subi un avortement. J'ai failli y laisser ma peau... Des visions de fin du monde, avec la vie qui se retire de toi lentement... Chez une avorteuse. C'était tellement sordide. Par bonheur, une de mes amies avait un père médecin. Il m'a sauvée de la mort. Une hémorragie qui n'en finissait plus. Tout ce sang qui imbibait le lit! Quel cauchemar! J'avais l'impression de glisser vers le néant, de me vider de moi-même!... Je n'aurais jamais pu revivre ça, j'ai préféré aller au bout. Et te voilà!

FILLE

Dommage que les enfants puissent pas se faire avorter de leurs parents comme eux le font de leurs enfants. On devrait pouvoir choisir de naître orphelin... ou de ne pas naître du tout.

MÈRE

Nous n'allons pas refaire le monde, quand même.

FILLE

Ça lui ferait peut-être pas de tort. Quand on voit ce qui attend nos enfants, je t'assure que ça donne à réfléchir. Je suis pas fière de nous, face à ce que nous leur avons préparé comme avenir. Enfin!... *(Soupir.)*

MÈRE

Entendez-vous ça? Non, là, je t'arrête. Pour ne parler que de toi, je t'ai fait donner la meilleure éducation, une gouvernante suisse, rien de moins, le couvent le plus huppé de Montréal où tu as appris la musique, la danse, le sport, en plus de toutes les matières essentielles. Qu'est-ce que tu en as fait? Une carrière?...

De bobonne oui. C'est ça le problème. Nous vous avons offert ce qu'il y avait de mieux et vous avez pas été foutus d'en profiter. Si seulement vous aviez franchi la distance que nous avons parcourue, nous serions les plus prospères de ce pays. Au lieu, vous croupissez dans le confort et l'indifférence. Ne viens pas me parler de ce que nous avons laissé en héritage aux jeunes. La corde du cœur leur traîne dans la merde, comme disait mon père entre deux hoquets.

FILLE

Sauf que lui devait dire : dans la marde.

MÈRE

Voilà, c'est à ça que vous êtes retournés.

FILLE

Tu es snob ! Tu l'as toujours été. T'as toujours levé le nez sur ta famille, sur celle de papa et maintenant sur la mienne. Viens dire le contraire.

MÈRE

Je sais, je sais. Ici quand on parle bien le français, on est une péteuse, si on est une femme et, si on est un homme, on est une tapette. C'est aussi simple !

FILLE

Tu mélanges tout. Comment veux-tu suivre une conversation qui a du bon sens ?

MÈRE

Tout se tient. Une chose entraîne l'autre. Moi, je me respecte trop et je respecte trop les autres pour mal parler. J'essaie de surnager, pas de me caler la tête dans l'eau pour ne rien voir et ne rien entendre comme tu fais.

FILLE

Je te demande bien pardon, tu peux pas me reprocher de mal parler.

MÈRE

C'est vrai. C'est au moins ça qui t'est resté de l'éducation que tu as reçue. *(Le téléphone sonne. La mère répond.)* Allô !... Non !...

Je l'ai dit tantôt au costumier, il n'est pas question que je porte une robe grise!... Elle est déjà confectionnée? Alors, vous n'avez qu'à la conserver pour un autre spectacle... Mon cher metteur en scène, je vous dis que je m'en moque. Mon contrat est signé en bonne et due forme, ne vous inquiétez pas... Attention! J'en ai fait renvoyer de plus importants que vous... Si j'étais à votre place, je laisserais tomber. Et désormais, appelez mon agent, je ne veux plus discuter avec vous. Salut! *(Elle raccroche.)* Ce qu'ils sont chiants ces gens qui n'ont du talent que parce que j'en ai. Qu'est-ce qu'ils seraient sans moi, ces couillons? Excuse-moi, ils me mettent en rogne. C'est toujours à recommencer... Nous sommes entourés de parasites dans ce milieu. Un exemple entre mille. On te soumet une pièce classique comme *Phèdre*. Tu acceptes, comme de raison. Les répétitions commencent. Le metteur en scène, qui se croit plus de génie que Racine, a décidé de faire de Phèdre une putain qui se met à poil et se masturbe! Comme je te le dis, ça m'est arrivé à moi! Ces gens sont des frustrés qui ne seraient pas fichus d'écrire deux répliques et qui se permettent de défigurer les autres, sous prétexte qu'ils ont vu ce que l'auteur n'avait pas vu dans son œuvre. Comme ils ne connaissent rien, il croient tout inventer... L'ignorance est une force d'inertie épouvantable. On nous impose des clichés comme des découvertes. Nous sommes submergés de ces pseudo-créateurs qui veulent actualiser Molière à leur propre sauce, incapables qu'ils sont de produire quelque chose de valable... Et ignorant surtout ce qui s'est fait avant eux. Des béotiens, je te dis. Et nous devrions nous plier à leurs fantasmes? Pas moi... Bien sûr les critiques sont éblouis. Ils en redemandent, les imbéciles! Ils sont incultes et ignares eux aussi, ça n'est pas étonnant. Et ils font ce métier-là par dépit, tu penses bien. S'ils avaient une parcelle de talent, ça se saurait. Ils préfèrent s'en prendre au talent des autres pour se mettre en valeur. J'ai gagné mes galons depuis longtemps, je peux me permettre de les mépriser, ces eunuques. Je n'ai pas attendu leurs appoints pour me faire un nom. C'est moi qui emplis les salles, pas ces crétins.

FILLE

Ils pourraient certainement pas dire que tu manques de tempérament. Le public t'applaudirait après une sortie pareille! Tu aurais une ovation. Debout!

MÈRE

Les applaudissements, c'est notre pâture. Nous jouons pour le public, pas pour une poignée de mécréants en mal de découvrir les défauts des gens plus doués qu'eux. La jalousie les rend mesquins. Ils oublient que derrière ce qu'ils voient, il y a des heures et des années de travail et d'acharnement. En une phrase à l'emporte pièce, ils croient — et ils peuvent — détruire une carrière. Ce sont des charognards.

FILLE

Comment t'as enduré tout ça sans y laisser ta peau, sans faire de dépression? Comment t'as pu continuer à vivre parmi cette faune?

MÈRE

Parce que j'ai toujours été au-dessus d'eux. Je ne me suis jamais laissé avoir. Je prépare mes mémoires. Laisse-moi te dire qu'il y en a qui vont passer un mauvais moment.

FILLE

Tu veux te venger? C'est ce que tout le monde va penser. C'est un règlement de comptes, si je comprends bien.

MÈRE

Je veux remettre les choses à leur place tout simplement. Si tu savais les horreurs qu'on a dites et écrites sur moi! Ici, tu sais, on ne tolère que la médiocrité. Dès que tu dépasses un certain point, on te massacre, tout simplement. Tout ça fait qu'on se retrouve avec des politiciens incolores et inodores, parce que dès qu'il en apparaît un qui a du panache, on s'empresse de le déculotter. La même chose pour les artistes. Il faut être populo avant toute chose. Pour plaire à la majorité. Hourrah pour la trivialité! Plus tu vises bas, plus on t'apprécie. J'ai toujours rejeté ces compromissions. À mes dépens, d'ailleurs, tu penses bien. Je refuse d'avoir pour idoles La poune ou Ti-Zoune. Je reconnais leur mérite, mais de là à en faire des monstres sacrés, on peut trouver mieux! C'est mon avis!

FILLE

C'est ce genre de choses que tu vas mettre dans ton livre?

MÈRE

Bien pire que ça. Je vais tout dire ce que je retiens depuis des années. Je n'ai rien à perdre, j'ai trop d'acquis derrière moi.

FILLE

T'as pas peur des conséquences?

MÈRE

Quelles conséquences? Ça va faire un pétard terrible, ça oui. Mais je ne demande pas mieux. Mon bouquin se vendra plus, tout le monde sera satisfait. L'éditeur se frotte déjà les mains.

FILLE

C'est pour quand cette bombe?

MÈRE

L'an prochain, je suppose, si tout va comme prévu. J'ai des montagnes de paperasses à démêler. Heureusement, j'ai un... secrétaire qui m'aide. Il est charmant. Trente ans, beau et... le reste.

FILLE

Je vois. C'est le dernier?

MÈRE

Comment le dernier? Il y en aura d'autres, fie-toi sur moi. (Rires.)

FILLE

Je peux pas te suivre. Tu consommes les amants comme des bonbons.

MÈRE

Où est le mal? Je ne force personne.

FILLE

Tu as raison, tu as raison. C'est on ne peut plus logique.

MÈRE

Moi, je trouve ça très banal. Ce qui m'étonne, c'est d'avoir une fille aussi conventionnelle, rangée, tout ce qu'il y a de moins dérangeant. Conforme en tout.

FILLE

C'est pas plus facile d'avoir une mère iconoclaste, tu sais.

MÈRE

Qu'est-ce que tu veux c'est ma nature de vouloir briser des conventions. Mais la société nous fait toujours payer pour nos comportements marginaux. Rien n'est gratuit. La célébrité aussi a un prix. Très élevé. Mais, je l'ai voulue, je l'ai eue. Le sommet, rien de moins. Tu sais, si plus de gens dans cette province avaient mon ambition, nous serions rendus beaucoup plus loin, au lieu de croupir dans un marasme économique, intellectuel et artistique.

FILLE

Si c'est ce genre de chose que tu vas mettre dans tes mémoires, je vois d'ici le bouillon que ça va faire. Holà, tu n'y vas pas de main morte. Tout va y passer, si je comprends bien. C'est un manifeste que tu prépares, à mon idée, pas une autobiographie.

MÈRE

Si, si, si, ce sera autobiographique. J'ai vécu dans la société, moi, j'en fais toujours partie, j'ai droit d'avoir mes opinions, quelles qu'elles soient. Je me fiche de ne pas être *politically correct*.

FILLE

Comment t'as fait pour passer ton existence à contre-courant?

MÈRE

Oh! j'ai reçu des coups, ne t'inquiète pas. Souvent en bas de la ceinture, va sans dire. J'ai doublé d'agressivité et j'ai eu le dessus. Je suis une des seules à avoir passé à travers ça.

FILLE

Vas-tu dire toute la vérité dans ton livre?

MÈRE

MA vérité, oui.

FILLE

Alors tu vas raconter ce que tu as déclaré dans les reportages au sujet de ta famille, de ton enfance? Que tu es une enfant de la crèche maltraitée par les religieuses qui a fui à douze ans pour aller travailler dans un restaurant chinois? Et que tu as été découverte par un auteur de radio-roman venu manger un beau soir?

MÈRE

Eh! quoi! C'est bien trouvé, non? Pas banal, en tout cas.

FILLE

Mais ça n'a rien à voir avec toi. Tu as tout inventé.

MÈRE

Voilà! tu as dit le mot: je me suis inventée, de Z à A. Je suis ce que je veux être.

FILLE

Bien sûr, tu n'as pas parlé de moi. Je suis même pas un accident de parcours, une erreur de jeunesse, un péché honteux...

MÈRE

Puisque tu ne fais plus partie de ma vie depuis plus de vingt ans... Tu y tiens à ce que je parle de toi?

FILLE

Pas tellement. Parce que je serais probablement la fille d'un acteur de la Comédie française ou d'un célèbre producteur américain. Ou alors le fruit d'un viol crapuleux.

MÈRE

Excellente idée. Je n'y avais pas pensé, tu vois?

FILLE

Où est ma mère dans tout ça? Dans tout ce fatras d'inventions moins crédibles les unes que les autres?

MÈRE

Ah! si tu veux ta mère, prends-la comme elle est. Comme elle s'est imaginée. L'autre n'est pas intéressante, puisqu'elle n'existe pas.

FILLE

Tu aurais pu dire les choses telles qu'elles se sont passées. Pourquoi ce besoin de mentir?

MÈRE

Quand j'ai raconté ma vie, il fallait une histoire croustillante, voyons. La banalité n'a aucun attrait pour le lecteur. Il demande du vécu, surtout s'il est totalement faux. Et c'est merveilleux de se construire une généalogie. Tu peux être née de la cuisse de Jupiter, si tu veux.

FILLE

Oui, je comprends. Ton père est un très riche industriel juif qui a engrossé sa bonne. Tu y as mis le paquet à ce que tu racontes dans tes confidences à *Photo-Star*, l'hebdomadaire qui dit tout.

MÈRE

Tant qu'à fabuler, aussi bien que ce soit fabuleux, non?

FILLE

Et, en plus, tu racontes que tu as recherché ta mère naturelle toute ta vie sans la trouver. Heureusement que grand-maman est morte.

MÈRE

Pourquoi pas? Si jamais je la retrouve, ce sera un autre chapitre. Ça fera un article sensationnel. Tu manques donc d'imagination.

FILLE

Jusqu'à ton nom qui n'est pas le tien.

MÈRE

Ça, c'était la première chose à faire. La rupture. Je ne me voyais pas sur une affiche avec un nom de concierge ou de vendeuse de supermarché.

FILLE

Ce que tu peux être méprisante!

MÈRE

Pas du tout. Un médecin n'est pas un éboueur, il y a une différence. Qu'est-ce que c'est que cette manie de mettre tous les gens sur le même pied? La nature est discriminatoire a priori. On ne naît pas tous aussi doués. Tant pis!

FILLE

Donc, tu vas persister dans tes menteries.

MÈRE

Non, puisque c'est MA vérité. Celle que j'ai choisie. On n'est jamais si bien servi que par soi-même, dit le proverbe.

FILLE

Dans ton cas, c'est flagrant. Il y a pas une seule ligne de véracité au travers de ton histoire. C'est du toc, du toc et du toc. *(Temps.)* *(Regardant autour.)* J'ai beau regarder partout, je ne retrouve rien qui me rappelle quoi que ce soit. Pas un bibelot, pas un cadre, pas un objet...

MÈRE

Non, rien. J'abolis le passé à mesure. J'ai besoin de nouveaux décors.

FILLE

Toujours le théâtre...

MÈRE

Pour le moment, c'est ma période bleue, celle que je préfère chez Picasso. J'ai eu ma période rétro, ma période noir et blanc, ma période zen...

FILLE

C'est très beau... comme dans les revues.

MÈRE

Mais oui, on me copie. Chaque fois que j'emménage, on donne mon appartement en exemple. C'est moi qui décide tout. Je fais exécuter, mais c'est ma création. Une seule pièce est immuable; ma bibliothèque. J'ai accumulé des milliers de livres.

FILLE

Je me souviens que tu lisais beaucoup.

MÈRE

Je lis de plus en plus. J'apprends, j'apprends, j'apprends... Je te sers un verre?

FILLE

Merci, je ne bois pas. Te gêne pas pour moi. Fais comme si j'étais pas là.

MÈRE

As-tu envie de dire que j'ai l'habitude de boire?

FILLE

Non, évidemment. Je disais ça pour te mettre à l'aise.

MÈRE

Je veux être polie, c'est tout.

FILLE

Je te remercie de l'attention. Je n'ai pas voulu insinuer quoi que ce soit. Prends pas tout ce que je dis au pied de la lettre.

MÈRE

Pour durer, dans ce métier, la discipline est la seule solution. Donc, les excès... Ah! je sais qu'il y en a qui bambochent, je l'ai fait, mais ce n'est plus de mon âge, hélas!

FILLE

Tu le dis à regret?

MÈRE

Et comment! Quel beau temps c'était! Les soupers interminables, les après-soupers interminables, les soirées à refaire le monde, interminables, les nuits à bavarder, à rire, à boire, à chanter, à danser, interminables!... Nous étions increvables, libres comme des chiens fous... *(Léger temps.)*

FILLE

Et tu faisais tout ça pendant que je me morfondais dans un pensionnat luxueux et triste comme un jour de jeûne. Il me semble qu'il faisait noir partout.

MÈRE

Je travaillais, moi. Ton père gagnait trois fois rien, j'avais quand même le droit de me divertir et je ne voulais pas être inquiète de toi.

FILLE

Tu m'as parquée au couvent. La belle vie! Olé!

MÈRE

Bien des filles auraient été ravies et comblées d'être parquées au couvent, comme tu dis. À ce couvent là, en particulier, où ça coûtait une fortune pour la pension. Je voulais que tu aies le meilleur; tu l'as eu et tu me le reproches.

FILLE

Je te reproche pas ce que j'ai eu, mais ce qui m'a manqué.

MÈRE

Et moi, mon enfance, alors? C'est ça qui m'a forcée à en sortir coûte que coûte, tandis que tu t'apitoies sur la tienne qui a été dorée, rien de moins.

FILLE

Au moins, tu avais des frères et des sœurs.

MÈRE

Pas le drame des enfants uniques à présent! On voit bien que tu n'as jamais connu la promiscuité des grosses familles. Entassés les uns sur les autres comme une portée de lapins. Pas le moindre espace vital, pas la moindre intimité. Rien à toi. Tiens, je portais les vieilles robes de mes sœurs, et leurs souliers et leurs sous-vêtements. Le pire, c'était de partager la même chambre à deux ou trois et le même lit! Pas le plus petit coin à toi. Toujours cet innommable entassement... Ça me faisait lever le cœur de dégoût. Jamais tu n'as eu à subir ça, toi.

FILLE

C'est vrai. J'étais impeccable, habillée comme une marquise, de quoi je me plains? J'avais tout ce qui coûte cher et rien de ce qui coûte rien.

MÈRE

Pauvre petite fille riche, oui, on connaît le refrain. À d'autres qu'à moi! J'ai fait le maximum mais je ne suis pas la mère Térésa.

FILLE

Toujours le mur de défensive. Le personnage combattant.

MÈRE

Tu peux le dire, je ne le nie pas et je suis très fière de l'être. Tant que j'aurai le souffle, je me battrai. Essaie d'en faire autant.

FILLE

Non, j'y renonce.

MÈRE

Pourquoi se tenir debout, quand c'est si facile de s'asseoir? Ici, on recommence toujours à zéro. Ce qui fait qu'on en est toujours au même point.

FILLE

Tu es une exception, t'as l'air de l'oublier.

MÈRE

Oui, j'ai été douée, j'ai eu de la chance. Mais!... il y a un mais. La chance arrive à beaucoup de gens et beaucoup de gens la laissent passer. Pas moi. Je l'ai saisie par le chignon et je l'ai poussée au pinacle. J'y suis toujours.

FILLE

Je devrais donc considérer que tu es un modèle.

MÈRE

Pour ce qui est de la réussite, certainement.

FILLE

Comme femme et comme mère, c'est quoi ton bilan?

MÈRE

La femme que je suis est ce qu'elle a voulu devenir. La mère, elle l'a été malgré elle. Aucun remords. Si c'était à recommencer...

FILLE

Je sais, j'existerais pas et ta vie en aurait pas été modifiée. T'as jamais eu besoin de personne. T'es une île déserte. Qui a dit «Nobody is an island?»

MÈRE

Puisqu'on naît seul et qu'on meurt seul. Tiens, même quand tu fais l'amour, c'est peut-être le moment où tu es la plus seule. Parce que l'autre ne peut pas ressentir ce que tu ressens. L'être humain est condamné à la solitude, dès qu'il sort du ventre de la mère. Je n'invente rien, c'est vieux comme la terre.

FILLE

C'est peut-être toi qui as raison, puisque jamais rien ne t'atteint. Tandis que je passe ma vie à avoir mal aux autres, à mon mari, à mes enfants, à l'univers entier.

MÈRE

Par-dessus le marché, tu le sais et tu continues. Qu'est-ce que tu attends pour vivre pour toi?

FILLE

Nous sommes pas du même bois, j'allais dire de la même famille.

MÈRE

Ah! si, tu retiens de ma mère et de ton père et de cent autres parents depuis des générations. C'est une maladie collective.

FILLE

On peut quand même pas se défaire de l'héritage des ancêtres. L'atavisme peut faire surface comme un cheveu sur la soupe. Tu le savais pas, mais ta grand-mère était maniaco-dépressive. À ce moment-là, on appelait ça la neurasthénie ou, plus poétique-ment, la langueur. Et on en mourait à petit feu.

MÈRE

Qu'est-ce que tu me racontes! Es-tu dépressive?

FILLE

Non. Ça m'arrive d'avoir les bleus comme tout le monde. Pas plus.

MÈRE

Tu sais, le mal héréditaire ici, c'est qu'on s'essouffle vite. On se contente de peu. Aujourd'hui surtout. La réussite pour un jeune, c'est de devenir batteur dans un groupe rock. Ça, ça place son homme.

FILLE

Tu caricatures. Voir si tous les jeunes manquent d'ambition. Au contraire, ils veulent aller sur la Lune, sur Mars.

MÈRE

Bien sûr, ils vivent dans les bandes dessinées. Ils se croient créa-teurs parce qu'ils attachent deux bouts de bois avec de la corde et qu'il y a des imbéciles qui trouvent ça génial. Ils savent même pas que les dadas avaient fait bien pire en 1920.

FILLE

Mais oui, on arrive trop tard. À peu près tout a été fait avant nous. Faut se forcer pour trouver du neuf. Imagine ce que nos enfants et leurs enfants devront faire pour être novateurs.

MÈRE

Oh! depuis 100 ans qu'on dégringole à toute vitesse!...La civilisation, ça serait une bonne chose, comme disait Félix Leclerc.

FILLE

T'es complètement déconnectée de la réalité. Au lieu de vivre dans la société telle qu'elle est, tu imagines ce qu'elle devrait être, pour te faire plaisir à toi. J'aurais jamais cru que tu étais de droite.

MÈRE

Je ne suis pas de droite parce que j'ai raison, tu en as de bonnes. Tu te penses à gauche avec ton mari, tes petits et ta maison de banlieue?

FILLE

Gauche ou droite, c'est pas important; ici, tout le monde se veut modéré.

MÈRE

Pas moi. À force d'être au centre, on finit par être neutre. Je ne veux pas être la majorité silencieuse et je le fais savoir.

FILLE

Je gage que tu vas même pas voter.

MÈRE

Voter pour ces pauvres types? Ils ne sont pas capables de mériter leur salaire. On les entretient comme des animaux de cirque. De temps en temps, ils font un petit numéro et le parti les applaudit. Pitoyable!

FILLE

Rien ni personne ne trouve grâce devant toi, décidément.

MÈRE

Qu'ils soient moins ternes. Qu'ils aient des couilles, au lieu de faire des belles phrases vides !

FILLE

Je comprends pas pourquoi t'es restée ici, alors. Au milieu de tous ces arriérés, comme tu les décris.

MÈRE

J'aurais dû partir, tu as raison. Je le vois maintenant.

FILLE

Qui t'en a empêchée ? C'est pas ton habitude de te laisser influencer par ton entourage ou tes proches. Qu'est-ce qui t'a retenue ?

MÈRE

Tout et rien. Probablement le fait que j'ai eu du succès très jeune. Ailleurs, j'aurais dû recommencer à zéro.

FILLE

En France, tu veux dire ?

MÈRE

Oui. Et Dieu sait que les Français sont difficiles à conquérir. Jamais une actrice d'ici n'y a réussi de façon durable. Des chanteurs et des chanteuses, oui, mais pas des gens de théâtre.

FILLE

Tu aurais peut-être été la preuve du contraire.

MÈRE

Que non ! Ils sont impitoyables... Je suis allée tâter le terrain. J'ai été horrifiée de la tâche, je suis revenue désillusionnée.

FILLE

Pourquoi tu serais partie dans ces conditions, évidemment.

MÈRE

Ah ! pour fuir, j'imagine. Inutilement, donc.

FILLE

Pourtant, beaucoup de chanteurs classiques ont fait carrière à travers le monde.

MÈRE

Oui, ils vont chanter à Rome, à Paris, à New York, jusqu'à Moscou et ils ont des critiques élogieuses, mais, ici, on les accuse presque d'avoir déserté et on ne les considère pas plus pour autant, puisqu'on engage souvent des étrangers à leur place.

FILLE

C'est à ce point-là, vraiment? Tu m'étonnes.

MÈRE

Ça ne s'améliore pas, chose certaine. Aujourd'hui, si j'étais jeune, je partirais. On est tellement à l'étroit ici. Dans un pays immense, c'est bizarre. Par chance, je dois dire qu'il y a des artistes qui sauvent le bateau. De grands artistes!... Le reste... Vaut mieux les oublier.

FILLE

C'est pas très reluisant, à t'entendre.

MÈRE

Non, vraiment pas. À commencer par la langue qu'on parle, dans la rue, à la télévision, partout, dans les publicités... Ma foi, c'est le monde du sport qui fait le plus d'efforts pour bien parler, sans anglicismes. Tu entends ces chansons en charabia? Parfois, quand je me trouve dans un endroit public, il m'arrive de croire que les gens sont des immigrants et qu'ils parlent un langage inconnu de moi. Mais non, au bout d'un moment, je finis par deviner que c'est du québécois tellement dégénéré qu'il en est méconnaissable. Quand on a hérité d'une langue si riche et si sonore, c'est honteux. Ça nous en fait une belle identité de baragouiner un salmigondis.

FILLE

Hé! ben! Si je m'attendais à un réquisitoire!

MÈRE

Ah! je gueule, je gueule, mais dans le désert. *(Le téléphone sonne.)* Ici, tu sais, le téléphone n'est jamais longtemps silencieux. *(Elle décroche.)* Allô!... Ah! c'est vous, ça... J'ai déjà reçu les appels du costumier et du metteur en scène... Mais oui, cher auteur, vous avez tous les droits... Même celui de me faire porter un costume

gris, oui... Le problème, c'est que j'ai dit non aux deux autres...
Écoutez, vous ne voulez pas me forcer à être désagréable, n'est-
ce pas?... Vous devez vous rappeler les corrections que je vous ai
suggérées pour votre pièce, hein?... Ah! pardonnez-moi, mais j'ai
accepté de jouer à mes conditions, pas aux vôtres... Mais qui
êtes-vous pour avoir des exigences? Vous connaissez à peine le
français, je passe mon temps à réparer vos erreurs. Vous devriez
me remercier de défendre un texte comme le vôtre. Alors, ne me
demandez pas de porter du gris en plus!... Ça veut dire que je ne
créerai pas votre chef-d'œuvre... Si, si, si, je suis très sérieuse...
Ah! vous me devez bien ça, hein? Tout est fait sous mon nom,
alors vous savez ce qu'il vous reste à faire!... Oui, oui, changez
votre texte, c'est simple. Au lieu de gris, vous mettez vert, bleu;
noir même, ça m'irait très bien... D'accord! là vous êtes raisonnable... Prévenez les deux autres, n'est-ce pas?... Entendu. Au
plaisir!... *(Elle raccroche et jubile.)* Ahhhhhh! Ils se sont mis à
trois pour me gagner, tu as vu? Et je les ai tous eus!... Non, mais
pour qui ils me prennent?... Cet auteur est pas foutu d'aligner
trois répliques correctement et il a des caprices? Holà!...
D'ailleurs tu devrais voir certains manuscrits qu'on me soumet.
Écrits dans un langage innommable... C'est la mode! Là encore,
il faut parler comme la rue!... La ruelle, oui!... Quand on pense
aux efforts qu'on a faits pour garder notre langue, on est en train
de la traîner dans la boue, sous prétexte d'authenticité. Enfin, un
jour on parlera un patois, ça nous fera une belle langue... Bon.
Où en étions-nous déjà?

FILLE

Oh! difficile à dire, nous allons d'un sujet à l'autre. Chose certaine, je vais d'étonnement en étonnement.

MÈRE

Comment ça?

FILLE

Je croyais vraiment pas que tu étais... engagée comme tu l'es
dans la situation actuelle.

MÈRE

Tu me le reproches?

FILLE

Au contraire, je t'approuve sur bien des points, même si je ne suis pas à même de juger ce qui se passe exactement depuis les dernières années.

MÈRE

Tu sais, quand on a dû tout apprendre par soi-même parce qu'on n'a pas fréquenté l'école assez longtemps, on est encore plus sensible à cette détérioration de la culture. Des fois, je t'avoue, je me sens tellement vieille et démodée quand je m'entends. Que veux-tu, je ne peux pas me renier moi-même. Et nous sommes si peu nombreux à faire entendre notre voix. Nous sommes submergés par les hurleurs joualisants et autres. Beaucoup de gens pensent comme moi, mais ils n'osent pas le dire, de peur de se faire traiter de tous les noms. Tu imagines jusqu'où ça va? Ici, quand on veut insulter quelqu'un on le traite d'intellectuel. Je te jure, c'est l'insulte suprême. Alors, avec une pareille mentalité, où allons-nous, je te le demande... Et la radio et la télé et le cinéma et le roman et le théâtre emboîtent le pas. Nous n'en sortirons pas. Au milieu de tout ça, j'ai l'air d'un dinosaure quand je fais l'apologie de la langue. Il y a rien de moins « in » que mon discours. Pourtant, la menace est là, à la porte, qu'est-ce qu'on attend?... Excuse-moi, je suis intarissable sur ce sujet, c'est viscéral. Et encore, je me retiens. Mais, de temps à autre, la vapeur fait sauter le couvercle et j'explose. Ah! grands dieux! me voilà aux barricades encore une fois!

FILLE

Tout ça sera dans ton livre, je suppose? Tu aurais une tribune rêvée pour lancer ton SOS?

MÈRE

On verra. Mais j'en ai bien l'intention. Je ne laisserai pas passer une si belle occasion, tu penses bien.

FILLE

À Vancouver, je m'occupe activement de l'Association francophone et de l'école et de la municipalité. C'est bien modeste, mais c'est important pour nous.

MÈRE

Bravo! C'est là que ça se passe. Mais les gens sont tellement apathiques. Pas moyen de les décoller de leur chaise.

FILLE

On fait même du théâtre, en amateurs, va sans dire. Mais on s'amuse et on apporte notre contribution à la communauté francophone. Parce que, là-bas, c'est l'assimilation qui prévaut.

MÈRE

Oh, ici, ça s'en vient à grands pas, en dépit des prévisions optimistes. Au train où vont les choses, on n'y mettra pas des siècles avant que ça arrive. Nous sommes déjà américains, francophones pour l'instant, mais la louisianisation nous guette.

FILLE

Tu es pas un peu pessimiste?

MÈRE

C'est justement le couplet qu'on nous sert à longueur d'année. On se tape sur le ventre de contentement et on se congratule sur les exploits des joueurs de hockey. Ça suffit à notre fierté nationale! Non, je ne vais pas repartir encore!

FILLE

Je ne te connaissais pas aussi militante.

MÈRE

Je ne milite pas, j'ai horreur de ça. Je ne peux pas supporter la médiocrité. Et je la dénonce. Par l'exemple, en plus.

FILLE

Sauf qu'il y a un chapitre de ton histoire qui est faux, avec toutes les fabulations que tu as racontées sur ta vie.

MÈRE

Je te l'ai dit, le public ne demande que ça, qu'on lui raconte n'importe quoi, à condition que ça l'émoustille et que ce ne soit pas ce qu'ils vivent eux-mêmes.

FILLE

Et si tu démentais ce que tu as déjà dit dans les entrevues? Histoire de varier le menu, de provoquer quelques remous.

MÈRE

Tu es folle ou quoi?

FILLE

Pas du tout. Tu veux un scandale? C'en serait tout un à mon avis.

MÈRE

Ah! pour ça, je vois d'ici les manchettes.

FILLE

Parce que, si tu répètes simplement ce qui a été publié dans les magazines, avec quelques égratignures en passant, je suis pas si sûre que ça aurait autant d'impact que des révélations fracassantes et véridiques, en plus. Toi qui sais si bien jouer avec les médias, tu leur en mettrais plein la gueule, à mon avis.

MÈRE

Mais qu'est-ce que tu essaies de me mettre dans la tête, mine de rien?

FILLE

Un coup fumant, peut-être?

MÈRE

Fumant? Incendiaire, tu veux dire.

FILLE

Ça m'étonne que tu y aies jamais songé.

MÈRE

Je t'avoue que non.

FILLE

C'est à bien y penser, à mon sens.

MÈRE

Plutôt deux fois qu'une, oui.

FILLE

Ça te fait peur? T'en es pas à une controverse près? T'en aurais pour des mois dans les rumeurs et potins de toutes sortes.

MÈRE

Que je me démolisse moi-même, il faut le faire!

FILLE

Tu te démoliras pas, toi, mais le roman que t'as créé autour de toi. On découvrirait un autre aspect de ta personnalité.

MÈRE

Ah! ça, si je m'attendais....

FILLE

Briser la statue, ça s'est fait avant toi plusieurs fois. Chose certaine, t'en étonnerais plusieurs.

MÈRE

Là, je t'assure, c'est jouer gros!

FILLE

Mais comment ça se fait que personne a jamais apporté de démentis à tes déclarations fabriquées de toutes pièces?

MÈRE

C'est arrivé, ne crains pas. J'ai fait face et j'ai tout nié. Tu sais, le mensonge est une arme blanche qui sème le doute, même s'il ne confond pas tout à fait. Et le public préférera toujours croire une belle invention qu'une plate réalité. Il imagine plutôt notre vie dans un contexte de cinéma.

FILLE

Il a pas tort. Vous vivez pas dans la vraie vie. Vous confondez souvent l'or et le plaqué.

MÈRE

Aussi bien dire que nous sommes des mythomanes.

FILLE

C'est toi qui le dis et c'est assez juste.

MÈRE

Qu'est-ce que tu connais aux artistes?

FILLE

J'en ai eu deux dans ma vie. Parce que papa, quoi que tu en penses, est un artiste. Il a pas eu le succès qu'il espérait, comme la majorité d'entre vous, mais il est foncièrement un poète. Qu'il ait pas les pieds sur terre, comme toi, fait toute la différence entre végéter et réussir.

MÈRE

Où vas-tu chercher tout ça, grands dieux?

FILLE

Suffit de regarder. Les gens sont pas si secrets qu'ils l'imaginent. Ils dévoilent beaucoup de leur intérieur sans le savoir.

MÈRE

Avec tes airs de ne pas y toucher... Est-ce que je devrais me méfier de toi, à présent?

FILLE

Je crois pas. Je suis bien inoffensive. J'aurais probablement tourné comme papa, si j'étais devenue comédienne, parce que c'est un milieu trop cruel. On est au faîte un jour et le lendemain on est dans la dèche. Je t'admire d'avoir été dans le peloton de tête depuis toujours. J'aurais pas pu. J'y aurais laissé trop de lambeaux. Je regrette pas mon choix.

MÈRE

Notre métier n'est pas cruel. C'est la vie qui l'est, où qu'on la fasse. Je me suis armée pour survivre, heureusement. Mais je me suis servie de tous mes atouts pour jouer le jeu. Quitte à faire des perdants, c'est inévitable. La sélection naturelle n'existe pas que chez les animaux. Ce sont les plus forts qui gagnent.

FILLE

(Souriant.) Grand-papa disait: «Au plus fort la poche.»

MÈRE

Ça c'était mon père tout craché. Ça excusait sa nullité, sans doute.

FILLE

Tu devrais pourtant réaliser que tu as reçu plus que la moyenne des gens en naissant. Tous n'ont pas le même bagage génétique. Pour toi, c'est facile de lutter, t'as les outils qu'il faut. Pour plusieurs, ils sont battus d'avance quoi qu'ils fassent.

MÈRE

C'est ça. La complainte éternelle : « Quand on est né pour un petit pain... »

FILLE

Malheureusement, le corps n'est pas toujours en harmonie avec l'âme. D'où la difficulté de se réaliser.

MÈRE

Oh! là, là, nous voici dans la philosophie, maintenant.

FILLE

C'est pourtant bien simple, le bon sens, il y a rien de savant. Du moment qu'on réalise que les autres existent, on peut plus penser seulement à soi. La vie nous est donnée pour un temps limité....

MÈRE

(Coupant.) Ah! non, pas les préceptes évangéliques en plus! Tu es dans une secte ou quoi?

FILLE

Rien de tout ça, rassure-toi. J'essaie tout bonnement de trouver un sens à notre existence, cherche pas plus loin.

MÈRE

Grand bien te fasse. Je passe!

FILLE

Je comprends pas comment tu peux être si superficielle à soixante-cinq ans. Ça me dépasse.

MÈRE

Je ne comprends pas comment tu peux être si simpliste à quarante-trois ans. Ça me dépasse aussi.

FILLE

Inutile de poursuivre. *(Temps.)*

MÈRE

Tout ça ne me dit toujours pas pourquoi tu es là.

FILLE

C'est pas si facile à exprimer. *(Malaise. Temps.)*

MÈRE

Que je suis simple! J'aurais bien dû deviner plus tôt! Tu as besoin d'argent, c'est ça? Bien sûr, tout le monde croit que nous avons des fortunes. Et ton mari... Euh!... camionneur n'est pas capable de faire vivre sa famille? C'est ça?

FILLE

(Vive.) Mon mari gagne très bien sa vie et la nôtre. J'ai pas besoin d'argent, surtout de ton argent, si c'est ce qui t'inquiète. Nous avons de bonnes économies, une belle maison, un chalet, deux autos, cinq bicyclettes, un chien et une piscine creusée. Plus de détails?... Et il est pas camionneur. Il est chauffeur d'autobus!

MÈRE

Parfait, je n'ai rien dit. Je ne voulais pas t'insulter. Mais ça ne m'apprend pas pour autant pourquoi tu es là?

FILLE

Pour faire la paix avec toi, je te l'ai dit. C'est essentiel de commencer par là, si je veux aller plus loin après...

MÈRE

... Ça t'a pris subitement? comme ça?

FILLE

Disons qu'il y a des... raisons qui m'ont forcée à faire cette démarche, maintenant. Il y a des retours en arrière qui s'imposent quand on doit faire face à... à une échéance.

MÈRE

Je savais qu'il y avait anguille sous roche... *(La regardant.)* Tu n'as pas encore tourné la page sur ce qui est arrivé autrefois.

FILLE

Une peine d'amour s'oublie pas.

MÈRE

Une peine d'amour!... Un béguin tout au plus. Tu le disais toi-même. D'autant que tu en avais eu plusieurs autres auparavant.

FILLE

Avec celui-là, c'était sérieux, ça durait depuis un an.

MÈRE

Ce qui ne l'empêchait pas de regarder autour, lui.

FILLE

Et autour, il y avait toi.

MÈRE

Je ne pouvais quand même pas faire semblant de ne pas être là quand tu l'amenais. J'étais aimable et accueillante, simplement. Mais, comme tu lui avais montré le chemin, il est revenu tout seul, quand tu n'étais pas là. Ce qu'il savait très bien. Et il est arrivé ce qui devait arriver... Il n'y a rien de si terrible, ni de si dramatique là-dedans.

FILLE

(Ferme.) Une fille de vingt ans qui se fait voler son chum par sa mère, c'est pas si facile à effacer. C'est encore plus humiliant que si ça avait été une autre fille.

MÈRE

Ah! le mélodrame maintenant. Tu veux des excuses?

FILLE

C'est pas ton genre, je sais.

MÈRE

Est-ce ma faute s'il m'a préférée à toi?

FILLE

(Violente.) Tu l'as enjôlée.

MÈRE

(Riant.) Qu'est-ce que je disais: en plein mélo!

FILLE

(Agressive.) Tu respectes rien. Si t'avais eu un atome de considération pour moi, ta fille, t'aurais refusé de coucher avec mon chum, même si c'était lui qui te faisait des avances, comme tu m'as dit dans le temps.

MÈRE

Et je le maintiens encore aujourd'hui. Tu n'as jamais pensé que c'était flatteur pour un garçon de vingt ans, tout ce qu'il y a de plus anonyme, de coucher avec une star?

FILLE

Lui, je m'en fiche, je l'ai oublié depuis longtemps, mais toi, tu t'es conduite comme une... une...

MÈRE

Une quoi? Dis-le, dis-le!

FILLE

Non, tu le sais très bien.

MÈRE

Je ne l'ai pas forcé, quand même.

FILLE

Peu importe. Le résultat est identique. J'ai été mortifiée comme on peut l'être quand on manque d'assurance.

MÈRE

D'ailleurs, il était très quelconque au lit, tu le sais mieux que moi.

FILLE

Mais à ce moment là, j'étais en amour avec lui. J'ai été assommée. Tout s'est écroulé d'un coup, je voyais plus clair, j'existais plus.

MÈRE

Peine d'amour n'est pas mortelle.

FILLE

Sois pas cynique en plus. J'ai voulu me suicider, ça te suffit pas?

MÈRE

Là, alors, tu m'as mise dans le pétrin, tu peux être fière. La police, l'ambulance, l'hôpital, tout le tralala. Des photos en première page, des curieux devant la maison, des téléphones en pleine nuit. Le vrai bordel. Si tu as voulu me punir, c'était réussi.

FILLE

Tu aimes tellement la publicité. T'en avais à pocheté.

MÈRE

De celle-là, je me serais passée très bien.

FILLE

Et moi donc!

MÈRE

C'est quand même pas moi qui t'ai ouvert les veines, merde!

FILLE

T'es inconsciente ou quoi? J'ai voulu me tuer, j'ai voulu mourir!

MÈRE

S'il fallait se suicider à chaque fois qu'on perd un homme!

FILLE

Ça t'a passé six pieds par-dessus la tête, je sais. T'es même pas venue me voir à l'hôpital. C'est grâce à papa si j'en suis sortie.

MÈRE

Il avait rien d'autre à faire, tandis que moi...

FILLE

T'as une carapace épaisse de même. *(Geste.)* Impossible d'atteindre le sensible. J'aurai beau remuer ciel et terre, ça te laisse absolument indifférente.

MÈRE

Chose certaine, c'était un beau chantage. Dis le contraire.

FILLE

J'ai pas voulu me venger, j'ai voulu disparaître pour ne plus te gêner, justement. Tu m'avais tout pris, jusqu'à mon chum... Il me restait rien. J'avais le cœur en bouillie et tu piétinais dessus.

MÈRE

Tu veux une amende honorable peut-être? Que je m'excuse pour le comportement de ton chum?

FILLE

C'est inutile de discuter avec toi. Rien n'est ta faute. Tout arrive par les autres, que ce soit papa, moi, mon chum, tes parents, ton costumier, ton metteur-en-scène, ton auteur et Dieu lui-même! Qu'est-ce que je fais ici?

MÈRE

Je me le demande moi aussi, figure-toi. *(Temps.)*

FILLE

Que j'ai donc bien fait de ficher le camp... Me semble pourtant que je m'étais bien juré de pas remettre les pieds ici. J'ai eu tort de changer d'idée. J'étais tellement écœurée en sortant de l'hôpital que tout ce que je voulais, c'était de m'évanouir dans la nature. Je suis partie sur le pouce pour n'importe où.

MÈRE

Parlons-en. J'ai appris ta disparition par les journalistes. Cette idée de se sauver de l'hôpital sans avertir. Encore une fois, la police et tout ce qui s'ensuit. J'ai raconté je ne sais quoi pour avoir la paix. Que tu étais partie en repos chez ta grand-mère à la campagne. J'apprends aujourd'hui où tu étais. Enfin, façon de parler.

FILLE

C'est sans doute pas ce qui t'a le plus inquiétée de ne pas savoir où j'étais. Ça t'a jamais empêchée de dormir si je découchais pendant trois ou quatre jours sans donner signe de vie.

MÈRE

J'allais quand même pas mettre les policiers à tes trousses. Sans compter que ton imbécile de chum est allé tout raconter aux journaux. Je me suis fait traiter de tous les noms à cause de ce minus. Pour un beau scandale, j'ai été servie, je te remercie.

FILLE

Pour une fois que c'était la vraie vérité, je suis pas fâchée. Grâce à mon imbécile de chum! Au moins il a été utile à quelque chose.

MÈRE

Bien sûr, il était pas peu fier de se vanter qu'il avait couché avec une grande vedette. Inutile de dire que j'ai tout nié. Et c'est moi qu'on a crue, qu'est-ce que tu penses? De toute manière, ton départ changeait rien pour personne.

FILLE

Pour moi, oui. Je recommençais à zéro. *(Regardant ses poignets.)* Ces cicatrices ont toujours été là pour me rappeler que j'avais franchi une clôture ce jour-là. Oh! il aurait pu m'arriver le pire. Quand j'ai repensé à ça plus tard, j'en avais des frissons. Une fille seule en auto-stop, tu penses! J'ai été privilégiée.

MÈRE

Il y a un bon Dieu pour les innocents.

FILLE

Comme tu dis. Et je l'ai épousé.

MÈRE

Eh! ben, c'est pas banal, au moins. Tu devrais raconter ça, ça ferait un bon roman.

FILLE

Tu pourras le raconter dans ton livre, ça fera un chapitre avec un beau titre: «Ma fille se marie sur le pouce». Tu inventeras le reste. «Ils vécurent heureux et ils eurent trois enfants». *(La chienne jappe encore.)*

MÈRE

Sarah! je ne te le dirai plus. Tais-toi. *(Petit jappement.)* C'est ça, fais la bonne fille... Imagine, en pleine nuit, si on a le malheur de faire du bruit dans ma chambre, elle jappe. Elle ameute les voisins.

FILLE

Elle veille sur toi, tu devrais l'apprécier.

MÈRE

Tu la veux? Je te la donne.

FILLE

Si j'étais chez moi, je dirais oui. Pourquoi tu l'as achetée, cette bête, si elle t'embarrasse?

MÈRE

C'est un cadeau, hélas!... Il a voulu me faire plaisir. C'est une chienne de race avec le pedigree et tout... Comment dire non quand ça t'arrive avec un bracelet en or dans le cou?

FILLE

On croirait entendre une cocotte 1900. *(Elle riote.)*

MÈRE

Il y a encore des hommes galants. Évidemment, toi, avec ton chauffeur d'autobus...

FILLE

Des hommes galants!

MÈRE

Comme le reste, ça s'est perdu. Aujourd'hui, on te met la main aux fesses d'abord. Ensuite, on te demande ton nom ou plutôt ton signe astrologique! Ou on s'informe si tu as des condoms.

FILLE

Moi qui te pensais au-dessus de tout ça!... *(Temps.)* Es-tu heureuse?

MÈRE

Le bonheur? De la foutaise! Moi, je ne rêve pas, je vis. Je n'attends pas, je prends.

FILLE

(Temps.) Pourquoi c'est si difficile entre les mères et les filles?

MÈRE

Nous sommes des femmes d'abord. Qu'on soit mère ou fille, c'est un hasard de la nature. Personne ne l'a voulu.

FILLE

On dirait toujours que tu me donnes une réplique de théâtre. J'ai jamais l'impression qu'on parle ensemble. Tu joues constamment. Tu es dans la peau de quelqu'un d'autre.

MÈRE

Nous avons tous plusieurs facettes. Les acteurs font profession de les utiliser toutes, contrairement à la majorité des gens.

FILLE

Un grand acteur anglais disait que vous sculptez dans la neige.

MÈRE

Si on va par là, tout est éphémère. À commencer par la vie.

FILLE

Il y avait une religieuse au pensionnat qui disait: «À dix ans, le temps passe à dix milles à l'heure, à trente ans, à trente milles et ainsi de suite». J'ai l'impression que ça va à cent milles.

MÈRE

Tu te sens si vieille?

FILLE

C'est pas une question d'âge.

MÈRE

Qu'est-ce que ce sera quand tu seras rendue au mien?

FILLE

Je m'y rendrai pas.

MÈRE

Comment le sais-tu?

FILLE

(Temps.) Je vais mourir.

MÈRE

Qui parle de mourir?

FILLE

Il me reste quelques mois seulement.

MÈRE

Je t'en prie, parle pour que je te comprenne.

FILLE

(Temps.) J'ai un cancer.

MÈRE

Ça ne se voit pas, je t'assure.

FILLE

Non, c'est là, en dedans. *(Elle montre son ventre.)*

MÈRE

L'utérus? Il y a des opérations et ça réussit.

FILLE

C'est le foie. Ça ne pardonne pas.

MÈRE

Tu es sûre? Tu as vu des spécialistes? Il y a des erreurs parfois.
Tu as passé plusieurs examens pour plus de sûreté?

FILLE

Absolument. Tous les tests sont positifs... et concordants.

MÈRE

Mais il y a des traitements? De nos jours, on fait des miracles.
On ne sait jamais, avec des traitements agressifs...

FILLE

Palliatifs, oui. La preuve. *(Elle enlève sa perruque. Elle a perdu ses cheveux.)*

MÈRE

C'est affreux! Je t'en supplie. *(Geste : remets ta perruque.)* *(Temps.)*
Tu m'as donné un de ces chocs. J'en ai des palpitations.

FILLE

C'est ce que je vois chaque jour. *(Elle remet sa perruque.)*

MÈRE

La chimio ne fait pas d'effet?

FILLE

Elle retarde l'échéance, disons. *(Temps.)*

MÈRE

Tu m'as toute retournée avec ça. J'ai le cœur qui me débat...

FILLE

Perdre ses cheveux est pas le pire... quand on sait ce qui s'en
vient.

MÈRE

C'est rassurant pour moi. D'abord ma mère qui est morte de cancer et, maintenant, toi, qui vas mourir aussi. Et moi, entre vous deux, quand ce sera mon tour?

FILLE

(Un cri.) Le plus tôt possible, je te le souhaite. (Elle pleure.)

MÈRE

La scène des larmes, à présent. C'est infaillible au troisième acte. Les sanglots!

FILLE

Je te dis que je suis en train de crever et tout ce que tu trouves à dire, c'est: «Quand ce sera mon tour?»

MÈRE

Tu crois que c'est pas effrayant pour moi?

FILLE

Je suis partie de Vancouver pour venir te voir en espérant que tu comprendrais... que tu m'aiderais...

MÈRE

Je t'ai ouvert la porte...

FILLE

(Coupant violemment.) Et tu t'es bouché les oreilles et le cœur.

MÈRE

Pourquoi es-tu venue si c'était pour m'annoncer ta mort prochaine?

FILLE

(Temps.) Oh! j'avais peut-être des illusions sur toi. Je gardais encore le souvenir de quelques bons moments d'enfance, au temps où je te jugeais pas. À partir du jour où j'ai compris ce que tu étais, surtout quand je voyais les mères des autres enfants, j'ai su qu'il manquerait toujours un lien. Entre grand-maman et moi, il y avait personne. J'avais cru qu'en vieillissant, tu accepterais d'être ma mère.

MÈRE

La maternité ne m'a rien apporté. Je ne suis pas une meilleure actrice parce que je suis mère.

FILLE

Et tu n'es pas une meilleure mère parce que tu es actrice.

MÈRE

Nous voilà revenues au point de départ.

FILLE

Non. Moi je suis au point d'arrivée. J'ai plus que la barrière à franchir... Quand j'étais petite, s'il y avait un obstacle, papa me prenait sous les bras et me faisait sauter, le cœur me volait et on riait...

MÈRE

Tu lui as dit à ton père que...

FILLE

Oui. Il voulait que je reste ici. Je peux pas. Je retourne avec mon mari rejoindre mes enfants.

MÈRE

Ton mari est là?

FILLE

Il est avec papa.

MÈRE

Il ne voulait pas me voir? Ou tu avais peur que je le séduise?

FILLE

Non, maintenant, j'aurais plus peur... T'es trop vieille pour lui.

MÈRE

Peau de vache!

FILLE

J'ai de qui tenir!

MÈRE

(Temps.) J'aurais préféré ne rien savoir. C'était vraiment pas la peine de venir de Vancouver pour me planter un couteau.

FILLE

Fallait que je vienne. Pour tourner la dernière page, même si tu refuses encore de la lire...

MÈRE

Et pour régler tes comptes avec moi. Tu veux que je me sente coupable de tout, c'est ça? Tu veux que ce soit moi qui sois responsable de ta maladie?

FILLE

(Un cri.) Tu l'es. Mon cancer, c'est toi qui me l'a transmis... Si tu t'étais fait avorter, rien de ça serait arrivé.

MÈRE

(Violente.) Mais qu'est-ce que tu veux que j'y fasse?

FILLE

(Larmes.) Je veux que tu m'empêches de mourir. *(Elle prend sa mère aux épaules et la secoue.)* Je veux que tu m'aides à guérir pour pas que ma fille ait à mourir à son tour. Je veux que tu me sauves!

MÈRE

(Se dégageant vivement.) Je ne fais pas de miracles, je n'y crois même pas. Je ne peux rien empêcher, je suis aussi dépourvue que toi. Viens pas me demander l'impossible.

FILLE

Ça veut dire: «Crève toute seule, j'ai pas de temps à perdre.»

MÈRE

Mais non... Si tu veux t'installer ici et te faire traiter à Montréal... Je paierai les frais s'il le faut!

FILLE

Je te demande pas l'hospitalité. *(Cri.)* Je te demande de m'aimer pour m'empêcher de mourir. Maman, je vais mourir!

MÈRE

(Cri.) Je te répète que je peux rien pour toi. Je peux rien. Rien. Cesse de t'agripper à mes jupes, je ne suis pas le bon Dieu! *(La chienne s'est mise à japper de plus belle.)* Ah! cette bête m'énerve. *(Elle part dans la cuisine où on l'entend.)* Vas-tu te taire! Allez, file

dans le placard, comme ça tu nous fichera la paix. *(On entend les bruits de porte, etc.) (Pendant ce temps la fille a pris son sac à main et est partie.) (Revenant.)* Au moins, on va... *(S'apercevant que sa fille n'est pas là.)* Où elle est passée? *(Elle regarde autour.)* Elle est partie? Vraiment, avec elle on sait jamais à quoi s'attendre. Enfin!... J'ai les nerfs en boule avec tout ça... *(Elle va prendre un verre d'alcool et le boit d'un trait.)* Ouf!... J'en ai les mains froides! Elle m'aura causé des emmerdements jusqu'à la fin!... *(Elle avise les photos qui sont restées sur la table. Elle les regarde un moment. Puis elle compose un numéro de téléphone.)* Allô mon Coco... Oui, oui, je vais bien... Tu vas être content de moi... J'ai un scoop pour toi... Je te le donne à condition que tu me fasses une première page... Ah! je te préviens, c'est très triste... Non, je ne t'en dis pas plus pour le moment... Tu sauras tout quand tu seras ici. Avec les photographes!... Donne-moi le temps de me mettre une robe de circonstances... Ah! j'ai des photos formidables pour ton article... Entendu, je t'attends... À tout à l'heure... *(Elle raccroche.) (On entend la chienne qui se plaint dans la penderie. Elle se lève vivement regardant sa montre.)* Juste le temps de me changer... *(Elle sort. La chienne se plaint de plus en plus fort.)*

RIDEAU

PÈRE ET FILS

PERSONNAGES

PÈRE : 56 ans
FILS : 30 ans

La scène se passe en été. Le décor représente la cuisine d'une maison de banlieue de Montréal des années 1960. Peu de meubles. Des caisses empilées. La table encombrée de vaisselle, etc. Un téléphone. Des murs nus.

(On entend le son d'une boîte à musique jouant un air genre « Plaisir d'amour » ou autre. Le père la tient dans sa main.)

PÈRE

J'ai retrouvé ça dans un coffre à la cave avec un tas d'autres bibelots.

FILS

D'où ça vient, cette boîte à musique-là? *(Il la prend.)*

PÈRE

C'est un cadeau que j'avais fait à ta mère avant notre mariage.

FILS

Je l'avais jamais vue, comment ça se fait?

PÈRE

Oh! elle l'avait sans doute remisée y a longtemps. Je l'avais oubliée, d'ailleurs. Elle aussi, sans doute. Je l'ai déterrée en faisant l'inventaire de la maison. Tu peux pas savoir ce que j'ai revécu à travers ces choses accumulées et inutiles. Toutes ces caisses empilées qui attendent l'Armée du Salut, c'est tout ce qui reste de ta mère, tu vois?

FILS

Tu veux rien garder d'elle?

PÈRE

Ah, si! Mes souvenirs sont dans ma mémoire. Pas besoin d'objets encombrants. Et puis, ta sœur, ton frère et toi, vous êtes là pour me la rappeler.

FILS

Avant, y avait toujours sa présence quelque part: un chandail sur un fauteuil, des pantoufles près de la chaise berçante, ses lunettes sur la table... Maintenant, y a comme une odeur froide, on dirait. *(Il pose la boîte à musique sur la table.)*

PÈRE

T'as raison. Y a plus de vie. Que des échos de... nostalgie. C'est
très malsain... Heureusement, je suis pas souvent ici depuis la
mort de ta mère, sauf pour faire le tri de tout ça, qui est éparpillé
un peu partout à travers les pièces. C'est d'un déprimant, parfois.
J'ai hâte d'avoir passé à travers, je te cache pas.

FILS

(Regardant les caisses qui sont empilées et énumérant leur contenu.)
Vêtements, chaussures, livres, jouets. Tout est bien inscrit sur les
boîtes de carton. Comme au magasin.

PÈRE

Tu me connais, j'aime les choses précises, ordonnées, ce qui
n'était pas le fort de ma femme. *(Amusé.)* Tu te souviens de son
sac à main? Une énorme chose ventrue, remplie des objets les
plus disparates et les plus inattendus. Un jour, il s'est ouvert en
plein restaurant et le contenu est tombé partout sous les tables.
J'ai eu la surprise de ramasser un ouvre-boîte, une bouteille de
shampoing et une petite tour Eiffel en métal qu'elle avait achetée
à Paris des années auparavant. Inutile de te dire que les clients
s'amusaient. Plus que moi, évidemment. Ta mère était rouge de
honte. Mais ça ne l'a pas empêchée de tout remettre dans son
sac.

FILS

Je pense que c'est une habitude chez les femmes. La mienne est
pareille.

PÈRE

Ça fait partie de leur charme, disons!

FILS

Et pis, c'est elles qui sont obligées de les traîner après tout, hein?

PÈRE

Bon, à présent, je vais emballer la vaisselle, si ça t'embête pas.

FILS

Je te donne un coup de main?

PÈRE

Si tu veux. Tout est déjà sur la table. Y a du papier journal en masse.

FILS

Ok! Allons-y. *(Ils emballent.)*

PÈRE

Ça devrait entrer dans deux caisses, en tassant bien.

FILS

(Après un temps.) Si tu te débarrasses de tout, ça veut dire que tu vas vendre la maison?

PÈRE

Oui. J'ai vu un agent, déjà.

FILS

Tu vas acheter ailleurs?

PÈRE

Sais pas. À 56 ans, tu sais... Et puis la banlieue...

FILS

Ça te plaît plus?

PÈRE

Moins, disons. Je veux sortir plus souvent. Beaucoup de mes amis sont en ville...

FILS

T'as une voiture.

PÈRE

Étant donné que je travaille à Montréal, ça serait plus pratique.

FILS

Les petits vont s'ennuyer de toi.

PÈRE

Je viendrai les voir, voyons. Je vous abandonne pas, quand même.

FILS

T'en as parlé aux autres?

PÈRE

Non, y sont pas au courant.

FILS

Pourquoi tu leur as pas dit?

PÈRE

Je les ai pas vus depuis la cérémonie d'incinération. Je comprends pas. Aucune nouvelle. C'est difficile à accepter. Je veux dire, pour eux. Tu leur as parlé, toi, depuis la mort de ta mère?

FILS

... Oui, une couple de fois.

PÈRE

Y t'ont rien dit à ce sujet-là?

FILS

... Non!... rien!

PÈRE

Y a certainement une raison, pourtant.

FILS

Sans doute. *(Il y a un silence. Il se dérhume.)*

PÈRE

T'es sûr que tu sais rien?

FILS

Non, non, rien.

PÈRE

Parlons d'autre chose. *(Temps.)*

FILS

Euh!... maman, elle t'avait donné des indices de ses intentions?

PÈRE

Pas que je sache. Pour moi, c'est pas un geste négatif. C'est la solution définitive au mal de vivre.

FILS

Tu te suiciderais, toi?

PÈRE

Ah! si j'avais une raison, peut-être. Et toi?

FILS

J'ose pas y penser... À 30 ans, tu sais...

PÈRE

T'as la vie devant toi, une femme, deux enfants, une carrière, une maison, une piscine, un jardin, alouette! Tout pour être heureux! *(Temps.)*

FILS

Maman et toi, c'était le grand amour autrefois?

PÈRE

Le premier amour est jamais le grand amour. Parce qu'on ne peut le comparer à aucun autre. C'est pourquoi y faut s'en méfier. Mais ça, on le sait au deuxième amour.

FILS

Tu vas te remarier?

PÈRE

Certainement pas. Ni femme, ni maîtresse!

FILS

(Il vient de prendre une assiette ébréchée.) Tu penses pas que tu devrais la jeter, cette assiette-là? Elle est tout écornée.

PÈRE

Donne. *(Il la jette dans une poubelle.)* Voilà! Ta mère l'utilisait pour la chatte, dans le temps. Après la mort de la minoune, elle l'a remise dans l'armoire. Pas la chatte, l'assiette.

FILS

... Tu crains pas de trouver ça dur, tout seul?

PÈRE

Aucune crainte, j'ai mille projets.

FILS

T'aimes pas les sports, d'ordinaire, mais si tu voulais t'essayer au golf, je suis là. On pourrait aller au baseball des fois? Au hockey?

PÈRE

Merci de me l'offrir, mais ça m'étonnerait que ça me prenne à mon âge... Et une autre caisse de pleine! Donne-moi le crayon feutre que j'inscrive le contenu.

FILS

Tiens!

PÈRE

Merci. *(Il écrit.)* Vaisselle.

FILS

Tu veux que je mette la caisse avec les autres?

PÈRE

C'est gentil de vouloir ménager ton vieux père.

FILS

(Portant la caisse.) Ah! ah! Fais-moi rire... vieux père, toi?

PÈRE

Évidemment, j'en crois pas un mot.

FILS

T'as même pas un cheveu gris. Enfin, pas un qui se voit!

PÈRE

C'est un reproche?

FILS

Pour un homme, les cheveux teints, ça fait... euh!...

PÈRE

Ça fait... quoi?

FILS

(Pour ne pas dire ce qu'il pense.) Ça fait pas naturel, disons.

PÈRE

Tant pis! Si je peux camoufler certains signes de... déchéance, je vois pas pourquoi je m'en priverais. J'ai eu assez de voir ta pauvre mère sombrer dans la sénilité prématurée, à cinquante ans. *(Temps.)*

FILS

On y va pour la deuxième caisse?

PÈRE

J'aurais le goût d'un café. Ça t'intéresse?

FILS

Du vrai café?

PÈRE

Tu m'excuseras, je n'ai que de l'instantané.

FILS

Alors, un café... instantané.

PÈRE

Je fais chauffer l'eau. *(Il prend une vieille bouilloire en cuivre rouge.)* Tu la reconnais?

FILS

Toujours la même?

PÈRE

Eh oui! *(Il prépare tasses et café, sucre, etc.)* Je l'emmène avec moi.

FILS

(Regardant autour.) Ça fait curieux de voir les murs nus.

PÈRE

J'ai tout emballé déjà. Je garde certaines choses mais pas plus. Je ne suis pas le genre «consommateur» à tout prix. J'utilise encore un grille-pain à palettes, imagine! Et je ne veux pas m'en défaire.

FILS

C'est vrai que ça fait des toasts plus sèches, moi aussi, j'aime ça... mais ma femme préfère un plus nouveau modèle de grille-pain... qu'elle a d'ailleurs reçu en cadeau de noces.

PÈRE

Heureusement, ta mère se souciait pas tellement de ces problèmes-là.

FILS

Faut dire que c'est surtout toi qui faisais la cuisine, aussi.

PÈRE

Tu t'en plains?

FILS

Au contraire. Tu réussissais mieux que maman.

PÈRE

Tu fais la popote chez toi?

FILS

Pour qui tu me prends?... Euh! Je veux dire... euh!... Non, je suis pas doué pour la cuisine.

PÈRE

C'est une chose qui s'apprend.

FILS

Ça m'intéresse pas. Quand j'arrive de travailler, j'ai pas envie de faire à manger.

PÈRE

Si ta femme accepte la double tâche de travailler en dehors et de faire l'ordinaire, ça la regarde.

FILS

Oh! elle rouspète, crains rien. Elle passe son temps à te citer en exemple. Que tu faisais la vaisselle, le ménage, la cuisine. Que tu tricotais, même. *(Vivement.)* Ça, c'est maman qui en a parlé à ma femme, moi, j'y ai jamais dit.

PÈRE

Pourquoi?

FILS

Je trouvais ça... euh!...

PÈRE

... gênant?

FILS

Ben, un homme qui tricote, franchement...

PÈRE

Évidemment, tu tricotes pas.

FILS

(Trop vif.) Es-tu malade?

PÈRE

L'eau est prête. *(Il fait les mélanges, etc.)* Sucre et lait, si je me souviens bien?

FILS

Oui, s'il te plaît!

PÈRE

Voilà ton café.

FILS

Merci! *(Il boit une gorgée.)* Très bon... pour de l'instantané.

PÈRE

Allons nous asseoir. Prends le fauteuil de ta mère, tiens. *(Petit temps. Ils s'assoient.)*

FILS

Le piano, tu le gardes?

PÈRE

Tu sais une chose? Je vais apprendre le piano.

FILS

Sérieusement?

PÈRE

Absolument. *(À la blague.)* C'est pas pire que le tricot, après tout.

FILS

Ben non, je t'ai parlé de tricotage parce que les pères de mes amis, y tricotaient pas quand j'allais chez eux.

PÈRE

(Buvant.) Ah! c'est pour ça que tu invitais pas tes amis ici?

FILS

Mon frère pis ma sœur non plus y amenaient pas leurs copains à la maison.

PÈRE

C'était à cause de moi?

FILS

Et de maman aussi... Elle buvait tellement.

PÈRE

Ça, je peux pas dire le contraire.

FILS

À dix heures du matin, des fois, elle était totalement incohérente.

PÈRE

C'étaient les médicaments surtout. Mélangés à l'alcool, ça faisait un effet terrible, comme de bonne. Certains médecins donnent trop de prescriptions sans discernement à mon avis. Ta mère avait tout un réseau de docteurs qu'elle visitait un après l'autre.

FILS

T'aurais pu l'empêcher, au moins?

PÈRE

J'ai essayé. Sans résultat.

FILS

Elle a pas toujours bu et pris des pilules, j'imagine?

PÈRE

Non. *(Il boit.)*

FILS

Qu'est-ce qui est arrivé pour qu'elle commence?

PÈRE

Sans doute ce qui arrive à bien des gens à l'intérieur d'un couple : le désenchantement.

FILS

Comment ça se fait que tu sois pas devenu alcoolique ou drogé?

PÈRE

Chacun a sa manière de régler ses problèmes... Je suis chanceux, je ne suis pas dépendant de nature, je fume pas, je bois pas. Le parfait gars plate dans un party. Aucun mérite, comme tu vois.

FILS

(Il boit. Temps.) Tu t'es jamais senti responsable de ce qui lui arrivait?

PÈRE

Se sentir responsable n'empêche rien.

FILS

(Temps.) C'est à cause de toi qu'elle buvait?

PÈRE

Elle le disait. Y fallait bien une excuse.

FILS

Pourquoi une excuse? Ça pouvait être une raison.

PÈRE

Raison, excuse, les conséquences étaient les mêmes.

FILS

Sauf que les... causes... étaient peut-être différentes.

PÈRE

(Il se lève.) Est-ce que je sais?

FILS

Elle te les a jamais dites?

PÈRE

Elle vous en a dit à vous autres plus qu'à moi, sans doute.

FILS

Comment veux-tu que je sache?

PÈRE

Ces dernières années, comme tu sais, ses discours étaient souventes fois bizarres. Y fallait pas donner crédit à tout ce qu'elle racontait. Elle prenait facilement ses imaginations pour la réalité. Le monde des stupéfiants est rempli de fantaisies, ce qui fait que ta mère était rarement à notre niveau, malheureusement.

FILS

On dit aussi: «*in vino veritas*».

PÈRE

Les proverbes, même latins, ne sont pas plus vrais que leurs contraires. C'est «bonnet blanc, blanc bonnet».

FILS

Évidemment, on peut faire dire n'importe quoi à n'importe qui, selon ce qu'on veut entendre.

PÈRE

De toute façon, depuis des années, y avait pas grand-chose de commun entre ta mère et moi, je ne t'apprends rien.

FILS

(Se levant.) Depuis combien d'années y avait rien entre elle et toi?

PÈRE

Je viens de te le dire. *(Vif.)* Elle était dans la brume la plupart du temps. Comment tu veux communiquer avec quelqu'un qui est ailleurs?

FILS

(Insistant.) Je parle... sexuellement.

PÈRE

(Direct.) Je crois pas que ça soit de tes affaires. J'ai pas l'intention de discuter cette question avec toi. Est-ce que je te demande comment tu te comportes avec ta femme dans ta chambre à coucher? Tu vas un peu loin, mon garçon, tiens tes distances, je te prie.

FILS

(Gentiment.) Papa, pourquoi t'es agressif?

PÈRE

(Sec.) Parce que tu te mets le nez dans ma vie privée. Point.

FILS

Je te parle de ça, parce que maman en a parlé.

PÈRE

À qui?

FILS

À ma sœur.

PÈRE

Ta sœur te l'a répété? Au fait, qu'est-ce qu'elle t'a répété, ta sœur?

FILS

Maman lui a dit qu'y... avait eu aucun contact sexuel entre vous deux depuis sa naissance... Ça veut dire plus de vingt-cinq ans.

PÈRE

Quand ta sœur t'a dit ça?

FILS

Récemment. Après la mort de maman.

PÈRE

Ta pauvre mère inventait n'importe quoi, je te le répète. Elle m'a déjà accusé de vouloir la tuer, tiens! À partir de ce moment-là, elle fermait sa porte à clé en se couchant. Et, à table, c'est arrivé maintes fois qu'elle refuse de manger, sous prétexte que je voulais l'empoisonner. Tu vois que c'était pas de tout repos. Je ne me plains pas. Je sais que c'était encore pire pour elle. *(Temps.)*

FILS

T'a jamais songé à la tromper?

PÈRE

As-tu déjà pensé à tromper ta femme, toi?

FILS

Oui. Comme tous les hommes.

PÈRE

Tu crois que tous les hommes sont infidèles?

FILS

En tout cas, mes amis s'en vantent.

PÈRE

Ils le font pour vrai?

FILS

Plusieurs le font.

PÈRE

Toi, tu le fais?

FILS

Pas vraiment... Non! Pas vraiment!

PÈRE

Ça veut dire quoi ça?

FILS

Tu sais, c'est pas parce que tu te permets une couple de petits à côtés que tu trompes ta femme. C'est sans conséquences...

PÈRE

Tant que ta femme le saura pas...

FILS

Qui c'est qui me dit qu'elle fait pas la même chose dans mon dos?

PÈRE

La confiance règne. Évidemment, je t'accorde qu'on n'est jamais sûr de rien. La fidélité, c'est de pas se poser de questions sur l'autre, j'imagine.

FILS

(Buvant.) (Petit temps.) T'as pas répondu à ma question. Tu l'as trompée, maman?

PÈRE

Y a jamais eu d'autre femme qu'elle dans ma vie après notre mariage. Et y en aura pas d'autre, je te l'ai dit tantôt.

FILS

Je comprends pas comment t'as pu toffer ça pendant 25 ans, si ce que maman a dit est vrai.

PÈRE

Tu crois que c'est vrai? (Il devient impatient.)

FILS

... Oui.

PÈRE

Comment veux-tu que je te prouve l'inverse?

FILS

Évidemment, elle est plus là pour le répéter devant toi.

PÈRE

Elle a tellement fabulé sur mon compte, tu peux pas imaginer. Ça allait de la séquestration aux sévices corporels. Pour expliquer les bleus qu'elle se faisait en tombant, elle disait que je la battais. Pour ce qui est de la séquestration, elle m'accusait de pas la laisser sortir. C'était vrai, je le faisais, quand elle était trop soûle. J'avais pas envie qu'elle passe sous une voiture.

FILS

T'es pas un batteur de femmes ou d'enfants, je le sais, papa, t'as pas à te justifier avec autant de... de... d'insistance.

PÈRE

T'as qu'à pas me questionner avec autant d'insistance, justement.

FILS

(Plus bas.) Je veux savoir, c'est normal, y me semble.

PÈRE

Ce qu'on sait pas fait pas mal.

FILS

Ah! écoute, papa, tu vas pas commencer à me sortir des phrases toutes faites, ça te ressemble pas.

PÈRE

Excuse-moi, je suis un peu nerveux. *(Grand soupir.)* C'est mieux d'emballer de la vaisselle, tiens! Continue à boire ton café. *(Il va continuer à emballer la vaisselle.)*

FILS

(Il boit.) *(Temps mort.)* Tu sais, papa, y a eu des moments où maman était sobre et lucide.

PÈRE

Y a bien longtemps, oui.

FILS

Pas si longtemps. Par exemple, quand elle a été hospitalisée l'an dernier après son accident où elle s'est fracturée la hanche en tombant dans la baignoire.

PÈRE

Elle prenait pas d'alcool, mais elle était bourrée de calmants, ça revient au même.

FILS

Un jour que je me suis trouvé seul avec elle, on a parlé beaucoup. Elle a pleuré... beaucoup pleuré...

PÈRE

C'est classique, les alcooliques ont la larme facile. J'ai eu droit à des scènes pitoyables, tu peux me...

FILS

(Coupant vivement.) Veux-tu arrêter de me contredire?... J'ai même pas fini une phrase que tu te trouves des excuses, c'est fatiguant à la longue, t'avoueras. Merci pour le café. *(Il va à l'évier et rince les tasses.)*

PÈRE

Inutile d'être sarcastique.

FILS

(Avec un certain humour.) De qui je tiens ça, tu penses?

PÈRE

(Sur le même ton.) Ok, ok, you win! *(Temps.)*

FILS

Pourquoi c'est si difficile de parler avec toi, aujourd'hui? D'habitude, on s'entend plutôt bien. Qu'est-ce qu'y a de changé? T'es tellement méfiant. Toujours sur la défensive. Pourquoi?

PÈRE

Parce que j'ai l'impression de me retrouver en plein tribunal et de subir un interrogatoire. C'est pas ce qu'il y a de plus plaisant. Surtout quand c'est son fils qui est l'avocat de la poursuite.

FILS

Ah! écoute, t'exagères! Je te fais pas un procès, quand même.

PÈRE

Parfait! Tu veux savoir si c'est vrai qu'y a rien eu de sexuel entre ta mère et moi pendant 25 ans? C'est exact. T'es content, maintenant?

FILS

Non. Ce que je veux savoir, c'est la raison pour laquelle y pas eu de sexe entre vous deux pendant 25 ans.

PÈRE

(Sec.) J'ai rien à dire. C'est pas tes oignons.

FILS

Maman a dit à ma sœur que c'était après sa naissance qu'elle avait commencé à prendre des médicaments.

PÈRE

C'est vrai. Elle a fait une dépression. Beaucoup de femmes souffrent de ce même mal après un accouchement. Y a rien d'exceptionnel à ça.

FILS

La plupart des femmes se remettent après un moment. Elles deviennent pas alcooliques.

PÈRE

Veux-tu me passer le grand plat à service qui est là?

FILS

Voilà! *(Il lui donne le plat.)*

PÈRE

Merci! *(Temps.)*

FILS

Maman m'a dit pourquoi elle s'était mise à boire.

PÈRE

Ah oui? Quand ça?

FILS

Pendant notre conversation à l'hôpital.

PÈRE

Je t'écoute. Vas-y!

FILS

Maman m'a fait jurer de pas le dire à personne.

PÈRE

Et alors?

FILS

J'ai juré.

PÈRE

Et encore une autre caisse de pleine. Fini la vaisselle!

FILS

J'ai tenu ma promesse, j'en ai jamais soufflé mot à qui que ce soit.

PÈRE

Mon crayon feutre... Ah! le voici... *(Il écrit.)* Vaisselle!

FILS

Mais maintenant que maman est plus là, je peux en parler.

PÈRE

Avec ton frère et ta sœur?

FILS

Avec toi.

PÈRE

Aide-moi à poser la caisse avec les autres, tu veux?

FILS

Laisse, je suis capable tout seul. C'est pas bien pesant. *(Il place la caisse.)* Pourvu que ça tombe pas. Ça a pas l'air solide.

PÈRE

Pousse la pile le long du mur.

FILS

C'est vrai, t'as raison. *(Il pousse les caisses.)* Parfait! Comme ça y a plus de danger.

PÈRE

De toute façon, y a personne ici pour les faire tomber. Je suis jamais là.

FILS

Tu reste à l'hôtel? Ou chez grand-maman?

PÈRE

Chez des amis du bureau qui ont une grande maison en ville.

FILS

Tu pourrais venir chez nous, tu sais.

PÈRE

Bien sûr. Mais je préfère ne pas vous encombrer de ma présence, pas très réjouissante en ce moment, comme tu vois.

FILS

Comme tu veux. Je te l'ai offert. Libre à toi.

PÈRE

J'irais pas plus chez ta sœur ou ton frère. J'ai besoin de... solitude pour me retrouver après trente-deux ans de vie commune. On finit par se perdre en chemin. On ne sait plus très bien qui on est devenu. Quel est l'imbécile qui a inventé qu'il fallait devenir UN quand on vit en couple ?... Probablement quelqu'un qui était une lavette et qui n'avait aucune espèce de personnalité. Ou encore un curé qui ne connaissait rien au mariage. Qu'est-ce qu'ils nous ont pas fait avaler ceux-là ? Au moins, je vous ai épargné ça, la religion obscurantiste comme je l'ai connue.

FILS

On peut rien te reprocher dans ce domaine-là. À maman non plus d'ailleurs.

PÈRE

Nous étions parfaitement d'accord là-dessus. Sur beaucoup d'autres sujets aussi. Ta mère était très cultivée, elle aimait lire, aller au théâtre, au concert avant de commencer à picoler. Nous partagions beaucoup de choses... qu'il a fallu abandonner au fur et a mesure que sa maladie progressait.

FILS

Tu as continué à aller au théâtre, au concert, à l'opéra, pourtant...

PÈRE

Oui. J'y vais régulièrement. *(Machinalement, il prend la boîte à musique et la fait jouer pendant un moment. Arrêt brusque.)*

FILS

(Après un temps.) Fini la musique entre vous deux ! Fini l'amour ! Fini le sexe ! Fini !... C'est là que tu as commencé ton... autre vie ?

PÈRE

Quelle autre vie ?

FILS

Celle que tu mènes depuis vingt-cinq ans... avec quelqu'un d'autre.

PÈRE

(Temps.) C'est ça que ta mère t'a révélé?

FILS

Oui.

PÈRE

Elle t'a dit qui c'était, l'autre?

FILS

Oui.

PÈRE

Alors, tu sais.

FILS

Tu l'avoues?

PÈRE

C'est ça que tu veux?

FILS

C'est qui?

PÈRE

Son nom te dirait rien.

FILS

(Violent.) C'est qui, LUI?

PÈRE

(Temps.) Lui, c'est l'homme de mon autre vie, comme tu dis.
Depuis vingt-cinq ans.

FILS

T'as trompé maman avec un homme!

PÈRE

Ta mère le savait avant notre mariage que j'avais des aventures
avec des garçons. Elle était sûre de pouvoir me changer et que le
mariage arrangerait tout.

FILS

Et toi, tu y croyais?

PÈRE

J'ai voulu y croire. Nous avons été heureux pendant un certain temps.

FILS

Pis t'as fait des enfants.

PÈRE

Ta mère en voulait. Moi aussi.

FILS

Ça te faisait rien que tes enfants aient un père qui... qui tricotait?

PÈRE

(Dur.) J'ai toujours été un bon père. Je te défends de dire le contraire.

FILS

C'est vrai.

PÈRE

(Sur le même ton.) Qu'est-ce que t'as à me reprocher... à part le tricotage? C'est le temps, vide ton sac. Maintenant, je peux tout entendre. Fais-moi tous les reproches que tu veux, allez, te gêne pas, je suis capable d'en prendre... Vas-y, je t'écoute.

FILS

(Temps.) Tu vas aller vivre avec lui?

PÈRE

Pas question. J'ai trop souffert de vivre à deux, je suis pas prêt à recommencer. Avec personne. Je veux être seul. La liberté.

FILS

Pourquoi t'es pas parti plus tôt?

PÈRE

Pour la raison banale que j'avais fait des enfants, je devais les élever. Quand vous avez été grands, votre mère était devenue une enfant. Elle avait besoin de moi, je suis resté.

FILS

C'est toi le héros, en somme.

PÈRE

Fais-moi pas dire ce que j'ai pas dit. J'avais pris un engagement à vie, je l'ai respecté. C'est de l'honnêteté, tout simplement.

FILS

Et de l'hypocrisie.

PÈRE

L'hypocrisie, comme tu dis, fait partie de la vie de la majorité des couples. Parce qu'on ne peut pas tout dire à l'autre. Ou qu'il faut faire semblant avec l'autre. Ou qu'il faut mentir à l'autre... Toi même, avec ta femme, tu me l'as dit tantôt, tu te permets des... cachotteries, n'est-ce pas?

FILS

Touché!

PÈRE

Y fait chaud ici, tu trouves pas? Je vais ouvrir la fenêtre. *(Fenêtre ouverte, on entend des oiseaux et une légère circulation. Temps.)*

FILS

Es-tu fier de toi?

PÈRE

Si c'était à refaire, je ne le referais pas. Les temps ont bien changé. De nos jours, on n'a pas à se marier ou à devenir religieux pour cacher son homosexualité.

FILS

Et t'aurais pas d'enfants pour te faire des reproches.

PÈRE

Vous faites partie des joies qu'il y a eu dans mon mariage... Et l'homosexualité n'exclut pas le désir d'avoir des enfants. Beaucoup d'homosexuels s'empêchent d'en avoir pour ne pas se retrouver devant la situation où je suis en ce moment.

FILS

(Temps.) J'espérais pourtant que tu me dises que maman avait menti.

PÈRE

Sorry! Tu voulais la vérité...

FILS

Shit!... Quand je pense que mon père... Ça me fait rire!... Mon père est une tapette! *(Il a dit ça avec une dérision douloureuse.)*

PÈRE

Oh! c'est pas le vocabulaire qui manque, on en invente au besoin, selon la mode. En ce moment, on est gays! Dans ma jeunesse, on était fifis. À la cour de France, on était mignons!

FILS

(Un cri.) Maudite tapette! *(Il se met à pleurer.)* Maudite tapette!

PÈRE

Si ça peut te faire moins mal de m'insulter!

FILS

(Pleurant.) Je t'haïs! Je t'haïs! Je t'haïs!

PÈRE

Ta mère m'a si souvent dit la même chose, en me frappant et en me griffant.

FILS

(Violent.) Tu mériterais que je te casse la gueule.

PÈRE

Tu peux toujours me battre, ça ne changera pas ma nature.

FILS

(Pour lui.) Maman, maman, maman! *(Il pleure.)*

PÈRE

(Temps.) *(Soupir.)* J'aurais besoins d'un cognac, moi. Tu veux une gorgée de cognac?

FILS

(Violent.) Non!... *(Plus bas.)* Oui!

PÈRE

Ça va te remonter, tu vas voir. *(Il sort le cognac et les verres.)*

FILS

T'as des kleenex?

PÈRE

Dans la chambre de bain. *(Le fils va dans la salle de bain.)* Regarde sur l'étagère près de la douche.

FILS

Ok, j'ai trouvé. *(Il se mouche discrètement. Il revient.)*

PÈRE

Ça va mieux?

FILS

T'as de ces questions...

PÈRE

Tiens avale ça! *(Il lui présente le verre.)*

FILS

Merci.

PÈRE

(Buvant.) Rien de mieux pour les grandes émotions.

FILS

T'as pas l'air plus... «ému» qu'y faut, soit dit sans t'offenser.

PÈRE

Disons que j'étais préparé depuis très longtemps à cette confrontation. J'imaginais bien qu'un jour... l'un ou l'autre d'entre vous découvrirait... mon autre vie, comme tu l'appelles... qui a été ma vraie vie, en définitive.

FILS

(Amer.) Ce qui fait que tes enfants ont été des... hors-d'œuvre, en somme. C'était... lui... qui était important.

PÈRE

C'est... lui... qui m'a permis de rester auprès de vous... comme c'est moi qui l'ai aidé à rester avec sa famille. Comme tu vois, c'est plein de beaux sentiments. On pourrait en faire un roman-savon, tellement c'est cucu. Ça aurait un succès fou, je gage.

FILS

(Cynique.) Même pas! Le monde rirait. Y embarquerait jamais dans ton histoire, ben évident. T'es ben naïf, si tu crois que les

gens sont prêts à avaler n'importe quoi, surtout quand c'est malade!

PÈRE

L'homosexualité, pour toi, c'est une maladie honteuse?

FILS

(Bête.) La preuve, tu t'en es caché pendant vingt-cinq ans... *(Plus fort.)* ... Pendant cinquante-six ans!

PÈRE

(Sans aigreur.) La société m'a pas donné le choix. J'ai été forcé à la clandestinité. J'ai essayé de m'en accommoder. Forcément, j'ai dû vivre entre deux vérités. J'ai toujours su qu'il y avait un prix à payer.

FILS

(Dur.) Essaye pas de m'amadouer avec tes belles paroles, ça pogne pas.

PÈRE

Je sais que c'est inutile de convaincre quelqu'un qui veut pas entendre. Et puis, c'est à prendre ou à laisser. J'en suis rendu là, maintenant. Y a pas de retour en arrière possible. L'abcès est crevé... Je sais à présent pourquoi ton frère et ta sœur m'ignorent. Tu les as mis au courant avant de venir?... Ils t'ont chargé de parler pour eux?... Réponds!... J'ai été franc, tu peux l'être!... Réponds.

FILS

Y sont au courant.

PÈRE

Bon! La situation est donc claire. Si je comprends bien, y sont pas plus d'accord que toi avec ma conduite, hein?

FILS

Comment tu veux que ça soit autrement? T'es notre père, l'as-tu oublié?

PÈRE

C'est bien ce qui vous embarrasse le plus, je le concède.

FILS

Y a pas de quoi se vanter.

PÈRE

Évidemment. Le fils d'Oscar Wilde avait dû changer de nom. Y s'appelait monsieur Holland! Tu vois que la honte n'est pas d'hier... Et elle n'est pas près de cesser.

FILS

J'en reviens pas de t'entendre. T'as l'air de considérer ça comme la chose la plus... normale du monde.

PÈRE

Forcément, c'est normal pour moi. Je demande à personne d'être comme moi.

FILS

(Criant.) Arrête d'être calme! Crie, braille, fais quelque chose. Tu m'énerves avec tes grand airs détachés. Comme si y s'agissait de quelqu'un d'autre.

PÈRE

J'ai plus de révolte!... J'ai plus de cognac non plus. T'en veux encore?

FILS

(Il crie.) Non! *(Il lance le verre.)*

PÈRE

Je m'excuse de pas te jouer la scène que tu t'attendais de voir. *(Il se verse une autre rasade de cognac.)*

FILS

Tu m'écœures!

PÈRE

Comment veux-tu que je me défende? J'ai toujours su que je serais condamné d'avance... *(Il boit.)* Et je savais aussi que je vous ferais beaucoup de mal. C'était inévitable.

FILS

Tu t'es sacré de nous autres.

PÈRE

Je te permets pas. As-tu déjà manqué de quelque chose?

FILS

Non! C'est pas ça...

PÈRE

Est-ce que t'as pas eu toute l'attention et l'affection que tu voulais?

FILS

Je dis pas le contraire.

PÈRE

Avant que tu le saches, qu'est-ce que j'étais pour toi?

FILS

(Criant.) C'est de ta faute si maman s'est suicidée. C'est toi qui l'as tuée. Tu l'as tuée!

PÈRE

Inutile d'ameuter les voisins! *(Il va fermer la fenêtre.)*

FILS

C'est ça, continue à te cacher.

PÈRE

J'ai aucunement l'intention de faire de l'exhibitionnisme. Déjà que les gens de l'entourage placotent à leur aise depuis des années. Ta pauvre mère s'est retrouvée plus souvent qu'à son tour ivre-morte sur le trottoir. On me téléphonait pour que j'aille la ramasser.

FILS

Ce qu'y savaient pas, par exemple, c'est que toi, pendant ce temps-là, tu t'envoyais en l'air avec ta grande folle! Maman, elle, c'était sur la place publique. Tout le monde le savait. Tout le monde en riait. Même les enfants d'école nous criaient des noms parce que notre mère buvait. Ils l'appelaient la soûlonne. Tu peux pas savoir le nombre de batailles qu'on a parties, mon frère pis moi, pour défendre notre mère! Tu nous chicanais quand on revenait avec un œil poqué ou nos habits déchirés, parce qu'on te disait qu'on s'était battus en jouant au baseball ou au hockey ou n'importe quoi. On voulait pas que ni maman, ni toi, ça vous fasse de la peine! *(Il est très ému.)* Mais, le soir, dans mon lit, je braillais de rage et d'humiliation... en songeant que tu devais être encore bien plus malheureux que moi. *(Il rit dans ses larmes.)* Non, mais fallait-y être assez niaiseux?... Quand j' pense, le cœur me lève. T'es rien qu'un écœurant. T'as gâché la vie de maman, pis maintenant, tu vas gâcher la nôtre? Ah! non, si tu penses que ça va être aussi simple, tu te trompes. T'as assez fait de dégats dans la famille comme c'est là. Moi, je t'en laisserai pas faire d'autres. Tu pourras tricoter tant que tu voudras avec tes semblables. Nous autres, on n'a plus besoin de toi.

PÈRE

(Temps. Doucement.) Moi, j'ai besoin de vous.

FILS

Comment tu veux que j'explique à mes enfants que leur grand-père est une tapette?

PÈRE

Les enfants comprendraient même pas de quoi tu parles.

FILS

Non, pas question, je te permettrai même pas de les approcher, c'est fini.

PÈRE

C'est tes garçons, j'ai rien à dire. Sauf que je suis pas contagieux.

FILS

Non, mais...

PÈRE

Je pourrais m'attaquer aux enfants, c'est ça?

FILS

Comment t'aurais pris ça, toi, si t'avais appris que ton père ou ton grand-père couchait avec les gars?

PÈRE

Probablement comme toi. Est-ce que je sais?

FILS

Tu vois!

PÈRE

Quel gâchis!

FILS

Je te le fais pas dire.

PÈRE

Moi qui ai cru que la mort de votre mère allait nous rapprocher!

FILS

Nous rapprocher d'elle, oui.

PÈRE

Je suis pourtant le même homme.

FILS

C'est ben ça le pire. Nous autres, on t'a aimé sans se douter de rien. T'étais le bon Dieu. Quand tu disais quelque chose, c'était vrai. Tu nous mentais jamais... Pis, là, tout d'un coup, on apprend que tu nous mentais tout le temps. T'étais un «fake». *(Très blessé.)* Comment tu veux qu'on te fasse confiance à l'avenir?

PÈRE

Évidemment! *(Plus bas.)* Évidemment!... Je t'avoue que je sais plus tellement où j'en suis en ce moment. Je parviens pas à mettre en place toutes les questions que t'as soulevées. Qu'est-ce que tu dirais si on poursuivait notre... conversation une autre fois? Le temps qu'on laisse décanter tout ça, chacun de son côté.

FILS

Tu veux te défiler encore? Inventer d'autres menteries?

PÈRE

Non. Je veux qu'on reprenne notre souffle et nos esprits.

FILS

Ça serait trop facile de continuer de jouer à la cachette. T'as été découvert, c'est trop tard. Ça se retourne contre toi, ton petit jeu. De toute façon, tu vas être heureux! Tu vas pouvoir vivre ton «autre vie» à ta guise. Tu voulais la liberté, tu l'as. Ni femme, ni enfants, ni petits-enfants pour te bâdrer. *(Intense.)* Mais je souhaite que t'aies assez de remords pour t'empoisonner l'existence! Ok? Qu'à chaque soir, en te couchant avec ton chum, tu voies ma mère au pied de ton lit!... Va-t'en avec ta gang d'homos! Pis, si jamais tu pognes le sida, tu l'auras pas volé! Ça sera juste une petite récompense pour avoir tué ma mère! *(Il s'en va en claquant la porte.)*

PÈRE

(Long soupir.) Quel bourbier!... On a beau imaginer le pire scénario possible, on peut pas croire que ça va être aussi épouvantable... *(Long soupir.)* J'ai comme un trou à la place du cœur... *(Il finit son cognac et va au téléphone et compose un numéro.)* Allô! c'est moi... Mal!... Je viens d'avoir une scène affreuse avec mon fils aîné... Il sait pour toi et moi... Ma femme... Excuse-moi de t'appeler au bureau, mais je voulais simplement te dire que j'irai pas souper avec toi, ce soir... Non, je préfère rester seul... Oh! rien de particulier. Je vais d'abord écouter un peu de musique, c'est encore le meilleur remède pour moi... Ok, je te donne des nouvelles... Salut, à bientôt. *(Téléphone raccroché. Quelques pas. Puis la radio ouverte. Il cherche le poste. On entend une musique classique douce. Adagio de symphonie baroque. Autant que possible quelque chose de pas connu.)*

(Au bout d'un moment, la musique devient floue. On entend en écho ou autrement les paroles du fils qu'on a entendues précédemment. Il serait intéressant de créer une atmosphère un peu onirique. La musique est déformée également. Éclairage diffus.)

FILS

(Voix trafiquée. Ce sont des phrases parfois disparates.) C'est qui LUI?... Maudite tapette!... C'est toi que l'as tuée! Tu l'as tuée!... Tu mériterais que je te casse la gueule!... T'étais un «fake»... T'étais le bon Dieu, tu nous mentais jamais!... J'espérais que maman ait menti!... Tes enfants ont été des hors-d'œuvre, en somme. C'était lui qui était important!... T'as assez fait de dégats dans la famille, je t'en laisserai pas faire d'autres. Tu pourras tricoter tant que tu voudras avec tes semblables... Nous autres, on a plus besoin de toi... Comment tu veux que j'explique à mes enfants que leur grand-père est une tapette?... Va-t'en avec ta gang d'homos! Pis, si jamais tu pognes le sida, tu l'auras pas volé!

(On entend la sonnette de la porte. L'effet précédent coupe net. La musique revient à la normale. Une deuxième sonnette après un petit temps.)

PÈRE

J'arrive! *(Porte ouverte.)*

FILS

Je peux entrer?

PÈRE

Tu as oublié quelque chose?

FILS

Je peux entrer?

PÈRE

Bien sûr. *(Temps.)*

FILS

Je te demande pardon... *(Il entre et ferme la porte.)*

PÈRE

À quoi servent les pères, hein? *(Il a dit ça sur un ton assez sarcastique.)*

FILS

Quand on était petits, qu'on avait fait un mauvais coup, tu nous envoyais dans notre chambre pour réfléchir, tu disais. Quand on sortait, on te demandait pardon, tu nous serrais dans tes bras et tu nous embrassais en disant: «Recommence plus.» On recommençait pareil!...

PÈRE

(Ému.) Maudits enfants! Vous en demandez toujours plus.

FILS

Mes paroles ont dépassé ma pensée.

PÈRE

La belle excuse! Les policiers tuent des gens parce que leurs armes dépassent leur pensée, oui, le refrain est connu, tant pis, on ressuscite pas les morts, on passe à autre chose.

FILS

Sois pas agressif.

PÈRE

Bien sûr. Toi, t'as le droit de l'être, pas moi.

FILS

Je suis pas ici pour ça.

PÈRE

Y a du nouveau depuis tantôt?

FILS

... Oui, papa.

PÈRE

Et m'appelle plus papa. Tu me l'as dit, je suis une vieille tapette contaminée. Tu serais mieux de sacrer ton camp avant d'attraper ma maladie.

FILS

C'est plus fort que moi, y fallait que je revienne.

PÈRE

T'as d'autres «gentillesses» à me dire?

FILS

Fais pas exprès, c'est déjà assez difficile.

PÈRE

Après ce que tu m'as dit tout à l'heure, je vois pas que ce soit si difficile, pourtant. *(Temps assez long. La musique est toujours là.)*

FILS

T'écoutais de la musique?

PÈRE

La musique m'a jamais apporté de déceptions, quand j'en ai eu besoin.

FILS

Tandis que les humains...

PÈRE

Voilà, tu m'as compris. Aujourd'hui, j'en avais particulièrement besoin. Elle est là, fidèle, comme toujours. *(Temps.)*

FILS

J'ai trop attendu pour te parler depuis que je sais. Je m'attendais pas que ça sorte tout croche.

PÈRE

Alors, qu'est-ce que tu attends de moi, maintenant? Que je m'excuse? Tu perds ton temps, si c'est ce que tu veux.

FILS

J'ai eu le loisir de me calmer en faisant le tour du bloc. Je veux te parler sans m'emporter.

PÈRE

Bon! y sera pas dit que je t'aurai pas écouté. *(Temps.)*

FILS

Est-ce que tu vends les meubles avec la maison?

PÈRE

Oui. Je t'ai dit que je ne voulais rien garder. Je tourne la page... Assieds-toi. *(Ils s'assoient.)*

FILS

C'est vrai que tes meubles sont assez usagés.

PÈRE

Ils en ont vu de toutes les couleurs. *(Temps.)*

FILS

J'ai vu un psychiatre ces dernières semaines.

PÈRE

Ah!

FILS

T'as déjà consulté un psychiatre?

PÈRE

Plutôt deux qu'un, oui.

FILS

Ça t'a servi à quelque chose?

PÈRE

À confirmer ce que je savais sur ma nature.

FILS

C'était avant ou après ton mariage?

PÈRE

Avant.

FILS

Tu t'es marié pareil?

PÈRE

C'est eux qui me l'ont conseillé, figure-toi.

FILS

C'est pour le moins... bizarre.

PÈRE

Oh! c'était avant la révolution sexuelle. Les homosexuels étaient une... minorité invisible, si on peut dire. On voulait pas les voir, surtout. La société nous forçait à entrer en communauté ou à nous marier. Avec les résultats qu'on constate aujourd'hui: les religieux défroquent. Certains sont poursuivis pour attentat à la pudeur, d'autres épousent d'anciennes sœurs tandis que plusieurs de ceux qui s'étaient mariés divorcent après des années d'enfer et d'infidélité. Pas un bilan très positif.

FILS

La mentalité des gens a évolué, quand même.

PÈRE

On en douterait, à entendre tes propos de tout à l'heure.

FILS

J'ai perdu le nord, je m'excuse!

PÈRE

Ah! on est encore bien loin de la tolérance. Les hommes surtout se sentent menacés par l'homosexualité. T'en sais quelque chose, tu parles comme ce monde-là. Tiens, comme mon père! Je l'entends encore faire des grosses farces épaisses qu'il rapportait de la taverne. Et y était prêt à défoncer la face au premier fifi qui se pointerait devant lui... J'avais presque envie de rire de me voir, là, devant lui justement, me retenant de lui crier: «Envoye, fesse, fesse, j'en suis un fifi, fesse!»... Mais non, je riais avec les autres.

Je riais de dégoût, de rage et de honte, pendant que lui se tapait les cuisses de plaisir en riant de ses gags... Que je l'ai haï, pour tout ça !... Je lui ai jamais pardonné, même s'il est mort depuis plus de dix ans...

FILS

(Temps.) Si... y était encore vivant, lui... avouerais-tu, maintenant ?

PÈRE

Avouer ? Non, pas d'aveu. Un fait accompli... Comme je vais le faire avec toute ma famille, au risque de donner une syncope à ma mère... Heureusement, elle est moins bornée que mon père. Mais on choisit pas ses parents.

FILS

Non. On choisit pas ses enfants non plus.

PÈRE

Tout ce qu'on peut choisir, c'est de pas en faire. Un peu tard pour moi.

FILS

Pour moi aussi... malheureusement.

PÈRE

Tu regrettes déjà ?

FILS

Toi ?

PÈRE

Non, je te répète que vous avez été une grande joie de ma vie... On verra pour l'avenir... étant donné ce que vous savez... et que votre mère n'est plus là. Le phénomène est fréquent que les enfants se voient moins après la mort de la mère... et voient moins le père, également. C'est souvent la mère qui tient la famille ensemble. Elle partie...

FILS

Mes enfants sont plus proches de ma femme que de moi.

PÈRE

Tu m'étonnes, je te croyais plus près de tes petits.

FILS

J'ai... peur d'eux autres.

PÈRE

Pourquoi?

FILS

... C'est complexe.

PÈRE

Moi aussi, j'ai eu peur de vous, c'est curieux.

FILS

Pourquoi?

PÈRE

À cause de ce que tu sais maintenant. Difficile de... mentir à ces petits visages francs et ouverts.

FILS

On dirait qu'y te passent aux rayons X quand y te regardent.

PÈRE

T'en parles au psychiatre de tout ça?

FILS

Oui... Tu sais, papa... tu veux que je t'appelle papa?

PÈRE

Mais oui, je te renie pas... T'es mon fils. J'y peux rien.

FILS

Tu sais, papa, quand tu décides d'aller chez le psy, le problème que t'as, tu le connais. Ce que tu cherches, c'est des moyens pour t'en sortir.

PÈRE

Juste! Mais les moyens pour t'en sortir, c'est pas lui qui les a non plus, hélas! Il peut seulement te... t'orienter, disons.

FILS

C'est évidemment pas lui qui t'a conseillé de prendre un amant après t'avoir encouragé à te marier, je suppose? (Il a dit cela d'un ton un peu amer.)

PÈRE

Non, comme de raison. Il aurait pas approuvé... pas plus que toi, tu m'approuves, aujourd'hui.

FILS

(Plutôt sec.) Le psychiatre aurait pas dit à maman non plus de devenir alcoolique et de se suicider après, si on va par là.

PÈRE

(Pris de court.) Hum! Nous y revoilà!... À la case départ encore une fois. Tout est de ma faute.

FILS

Comment veux-tu que ce soit autrement? Je suis pas né par l'opération du Saint-Esprit, moi. Tu m'as transmis des... des... un héritage... J'ai rien demandé. J'ai pris ce que tu m'as donné.

PÈRE

Nous en sommes tous là depuis que le monde est monde. On ne choisit rien. Pas plus de naître que de mourir. Dieu sait que j'aurais pas voulu pour tout l'or au monde ressembler à mon père! J'aurais pu, mais j'y ai échappé... miraculeusement. J'ai été privilégié pour une fois.

FILS

J'ai toujours voulu te ressembler... quand j'étais jeune.

PÈRE

Et maintenant?

FILS

... Je préférerais ne pas te ressembler autant.

PÈRE

Je comprends.

FILS

Non, tu comprends pas.

PÈRE

Explique.

FILS

(Temps.) Quand maman m'a appris... à ton sujet... l'an dernier, j'ai pensé virer fou. Jusque-là, je voulais pas admettre, c'était pas

possible que ça m'arrive, à moi. J'avais rien fait pour ça. Ça se pouvait pas... Pendant des semaines, j'ai tourné en rond, j'ai pas dormi, je me suis soûlé pour pas faire face à la vérité. Des jours, je pouvais même pas aller au bureau. Je partais le matin pis je passais la journée à marcher, à jongler, à pas savoir quoi faire. Je me suis forcé à coucher avec des filles même, tellement je pouvais pas croire que ça existait. Plus ça allait, plus j'étais certain que c'était à cause de toi. Ce que j'avais jamais pu m'expliquer, je savais maintenant d'où ça venait... Ce que maman m'avait révélé éclairait tout d'un seul coup. J'étais pas responsable, c'est toi qui l'étais... En te découvrant, je me découvrais moi aussi. J'ai été pris d'un vertige épouvantable. Un soir, je suis allé sur le pont Jacques-Cartier. Je suis resté là pendant des heures... à hésiter, à hurler jusqu'à ce qu'une voiture de police passe et m'embarque. Au poste, y m'ont donné un café... pis, y m'ont laissé aller... Je m'étais exorcisé, j'ai pas recommencé... *(Il pleure.)* J'ai continué à vivre malgré moi... *(Rageur.)*... en te détestant chaque jour de plus en plus... de m'avoir transmis ta maudite maladie. *(Temps.)*

PÈRE
Mon pauvre petit!

FILS
(D'attaque.) C'est tout ce que tu trouves à dire?

PÈRE
... Je le savais depuis bien longtemps.

FILS
Et tu m'as rien dit?

PÈRE
À quoi bon? Je ne pouvais rien y changer. Pas plus pour toi que pour moi.

FILS
Comment tu savais?

PÈRE
C'est une chose qui se sent... d'un homosexuel à un autre.

FILS

(Agressif.) Je refuse d'être homosexuel. Traite-moi pas d'homosexuel, je te défends.

PÈRE

Disons bisexuel, si ça t'arrange. Reste que c'est une demi-vérité.

FILS

Pourquoi tu m'as pas fait soigner, si tu le savais?

PÈRE

Parce que j'ai jamais cru que l'homosexualité était une maladie.

FILS

T'aurais pu me... parler, me conseiller, je sais pas...

PÈRE

Est-ce que tu m'aurais écouté?

FILS

... Non!... Peut-être!... Je sais pas.

PÈRE

Ah! et puis, moi-même étant dans la... clandestinité, j'aurais eu
trop peur d'être démasqué en t'en parlant.

FILS

(Amer.) Tu savais. Tu me regardais aller. Tu me voyais m'embar-
quer jusqu'au cou sans lever le petit doigt seulement. *(Dur.)*
T'aurais pu m'empêcher de me marier, au moins?

PÈRE

(Sec.) Comme j'aurais pu t'empêcher de faire des enfants, je
suppose?

FILS

Si je m'étais pas marié, j'aurais pas fait d'enfants!

PÈRE

(Sur le même ton.) Quand tu t'es marié, y a dix ans, la situation
sociale avait bien changé depuis mon époque. Les homosexuels
étaient pas obligés de se marier. Encore moins de faire des petits.

FILS

(Criant.) J'ai jamais été homosexuel. Je me suis pas marié parce que je l'étais, mais parce que je l'étais pas. Je suis pas comme toi, moi, je suis pas une tapette. Je me conduis comme un gars, je m'habille comme un gars, je fais du sport, j'aime les femmes. Je suis capable de baiser quand je veux!

PÈRE

(Criant à son tour.) Baiser une femme, c'est à la portée de n'importe quel gars qui peut bander! Ok? Ça prouve rien qu'une chose, c'est que tu portes ta virilité dans tes culottes, rien d'autre.

FILS

Où c'est que tu veux que je l'aye? Dans les oreilles?

PÈRE

Joue pas sur les mots, je t'en prie.

FILS

C'est toi qui essayes de... de...

PÈRE

(Renchérissant.) T'apprendras qu'y a une différence entre baiser une femme et faire l'amour à un homme.

FILS

La grande nouvelle!

PÈRE

On baise une femme quand on peut pas faire l'amour avec elle, c'est la nuance que je veux faire, tout simplement.

FILS

C'est pas parce que c'est ce que t'as fait avec ma mère que ça doit être ce que je fais avec ma femme et les autres filles, t'apprendras. C'est aussi facile de baiser un gars, à part ça.

PÈRE

Tu l'as fait?

FILS

(Fier.) Oui, je l'ai fait, y a rien là.

PÈRE

Pourquoi tu l'as fait?

FILS

J'avais le goût. C'est pas difficile à trouver, le Village est plein de jeunes qui demandent rien que ça.

PÈRE

Qu'est-ce que tu voulais te prouver? Que t'étais un hétéro qui se payait une fantaisie?

FILS

Je voulais rien prouver pantoute. Je voulais essayer ça, ça me tentait. Comme j'ai fumé du pot dans le temps pour savoir ce que c'était. T'en as fumé avec moi, à part ça, pour la même raison.

PÈRE

C'est vrai.

FILS

T'es pas devenu drogué pour autant? Moi non plus. Je me suis pas garoché dans la coke parce que j'avais fumé quelques joints. J'ai pas pris un amant parce que j'avais eu quelques aventures avec des garçons, comme toi, t'as fait.

PÈRE

Si tu crois que ça suffit à te justifier à tes yeux, tant mieux!

FILS

Je me justifie pas, je t'explique.

PÈRE

Qu'est-ce que le psychiatre dit de tout ça?

FILS

... Y a plus de bibites que moi, je pense, lui.

PÈRE

Tu peux me dire ce qu'il en pense? *(Sonnerie du téléphone.)* Excuse-moi. *(Il décroche.)* Allô!... Inquiète-toi pas, ça va... Non, non, ça va... Mon fils est revenu, nous parlons tranquillement... T'en fais pas, ça va aller... Ok, je te rappelle plus tard... Salut. *(Il raccroche.)* Tu désires quelque chose à boire?

FILS

Je te remercie, j'ai pas soif.

PÈRE

(S'assoyant.) Nous disions donc que le psychiatre...

FILS

À l'entendre, y faudrait que je retourne en arrière pendant des mois et des années avant de faire quoi que ce soit d'autre.

PÈRE

Une analyse, tu veux dire?

FILS

Oui.

PÈRE

Tu lui a parlé de tes aventures avec des gars?

FILS

Y a pas besoin de savoir ça.

PÈRE

Alors, pourquoi tu vas là?

FILS

... Je le sais pas. Je pensais qu'y... devinerait. C'est sa job, non?

PÈRE

Qu'est-ce que tu lui as raconté au juste?

FILS

Tout. Que j'étais marié, avec des enfants, que ma mère était morte alcoolique... que mon père est... tu le sais... que je travaille... que je découche des fois... avec des femmes...

PÈRE

Je vois. T'en as dit plus sur ta mère et moi que sur toi, si je comprends bien... en évitant de lui apprendre l'essentiel, naturellement.

FILS

Ben, puisqu'y veut retourner en arrière...

PÈRE

Ça me semble que tu veux surtout que le psy te confirme que
t'es un hétéro qui a des fantasmes plutôt qu'un homo qui se
retient d'en avoir.

FILS

(Piqué.) T'es mal placé pour faire de l'humour dans les circonstances.

PÈRE

Mais non, j'essaie de voir clair dans ton comportement. Comme
c'est là, t'es assis entre deux chaises. Pas étonnant que tu te
sentes inconfortable.

FILS

Je voudrais ben te voir à ma place.

PÈRE

Je m'y suis trouvé. Moi aussi, j'ai voulu me faire croire que j'étais
un autre, comme je l'avais lu dans Rimbaud: «Je est un autre.»
La célèbre petite phrase sur laquelle on a écrit tant de thèses
savantes et d'exégèses profondes... Quand, en réalité, le jeune
Rimbaud vivait une dualité existentielle comme beaucoup d'entre nous. Il a eu le génie de trouver la formule... qui a fait fortune
dans le monde littéraire, tandis que lui faisait fortune en faisant
du trafic en Abyssinie... Fin de la parenthèse.

FILS

Comment ça se fait que tu m'as pas transmis ton intelligence au
lieu de me donner... euh!... Shit!

PÈRE

Revenons pas là-dessus.

FILS

Quand je t'écoute, j'ai toujours l'impression que tu sais tout.
Depuis toujours, y me semble que personne est plus brillant
que toi.

PÈRE

Jettes-en pas trop... Tu sais, de nombreux homosexuels ont
autant d'intelligence que n'importe qui d'autre et même plus. Il
y a des noms célèbres à volonté! Ce n'est pas parce qu'ils sont

homos qu'ils sont intelligents, tu me diras, mais ça ne les empêche pas de l'être...

FILS

Veux-tu essayer de me prouver quelque chose?

PÈRE

Simplement que la valeur d'un être humain se situe d'abord en
haut de la ceinture. Si un jour on peut arriver à se regarder
comme des humains d'abord et des hommes ou des femmes
ensuite, on aura fait un grand pas dans la société. *(Amusé.)*
Écoute-moi, je parle comme un oracle.

FILS

(Temps.) Je vais quitter ma femme.

PÈRE

Et tes enfants?

FILS

Je les verrai... de temps en temps...

PÈRE

Ta femme connaît tes intentions?

FILS

Pas encore.

PÈRE

Tu l'aimes plus?

FILS

... Je veux pas qu'elle devienne alcoolique comme ma mère.

PÈRE

Elle pourrait aussi bien le devenir parce que tu t'en vas... si elle
a à le devenir.

FILS

Ouais! *(Temps.)*

PÈRE

Je vais te poser une question. Tu n'es pas tenu d'y répondre...
Qu'est-ce que tu aurais fait si j'étais parti, autrefois?

FILS

(Il se lève en parlant.) T'as le don de lancer une douche d'eau froide, quand tu t'y mets. Shit! *(Violent.)* Tu le fais exprès pour me mettre des bois dans les roues.

PÈRE

Crois pas ça. Je te rappelle seulement que tes enfants n'ont pas demandé à venir au monde... et qu'ils sont là pour toute ta vie... que tu partes ou que tu restes. Tu le sais aussi bien que moi, mais tu évites d'y penser. Hein, je me trompe?... Je serais parti jadis... j'aimais plus ta mère, d'amour, s'entend. Je te l'ai dit, je suis resté pour vous parce que je vous aimais. J'aurais été encore plus malheureux sans vous...

FILS

Je sais plus, papa. Je sais plus. *(Il s'assoit.)*

PÈRE

Oh! je te comprends, fiston, va! Depuis que tu es arrivé, tu t'es contredit au moins trois fois. C'est bien la preuve que tu sais plus où tu en es...

FILS

Tout ce que j'avais prévu s'écroule malgré moi... Tu vois, j'avais imaginé que je pourrais venir vivre ici, pendant quelque temps, du moins, et tu vas vendre la maison... Je me retrouve où? Dehors!

PÈRE

(Se levant.) Décidément, je vais de surprise en surprise. Je suis aussi mélangé que toi! *(Temps ému.)* Maudits enfants! Vous vous croyez tout permis!... D'abord, tu arrives ici en me faisant passer un interrogatoire; ni plus, ni moins! Ensuite tu me traites de tous les noms les plus blessants, puis tu me rejettes de ta vie en me souhaitant le sida. Puis tu me claques la porte dans la face... Mais, ça te suffit pas, tu reviens pour m'accuser d'être responsable de tes tendances homosexuelles...

FILS

Je te...

PÈRE

(Coupant.) M'interromps pas, laisse-moi parler... Et, finalement, tu me reproches de vouloir vendre ma maison... Ma maison, parce que TOI, tu veux venir t'y installer. Peu importe mes projets à moi, hein?... Voilà ce qui arrive quand t'aimes trop tes enfants, tu réussis à en faire des monstres d'égoïsme!... J'aurais dû ficher le camp autrefois, j'en serais pas là aujourd'hui *(il a les larmes aux yeux)*... à me faire démolir par mon propre fils, dans MA propre maison. *(Long temps.)*

FILS

(Se levant.) Je savais que tout ça tournerait mal. Je l'ai dit à mon frère et à ma sœur.

PÈRE

J'oubliais, y sont avec toi, eux aussi. L'exorcisme est pas fini... Excuse-moi, je vais aller me passer de l'eau sur la figure, ça va me calmer un peu. J'ai besoin de retrouver mes esprits.

FILS

Je vais en profiter pour appeler ma femme.

PÈRE

Le téléphone est là, vas-y.

FILS

(Il compose le numéro.) Allô, c'est papa... Je sais pas, passe-moi maman, tu veux?... Allô!... Justement, je rentrerai pas souper... Non, non, je suis chez papa, je l'aide à emballer des choses... Attends-moi pas, j'ignore quand je vais arriver... Ok, à plus tard. *(Il raccroche.)*

PÈRE

Ça va mieux. T'as fait ton téléphone?

FILS

Oui.

PÈRE

(Aigri.) Ah! cette musique m'énerve. *(Il ferme la radio.)*

FILS

Donc, ça va pas mieux.

PÈRE

Non. Je suis en train de perdre le peu d'équilibre que j'avais cru retrouver après le départ de ta mère.

FILS

Et moi, j'ai toujours l'impression d'être sur le pont Jacques-Cartier.

PÈRE

Y a de ces moments où tout semble se dérober sous nos pieds. C'est à donner le vertige... Le pire... le pire, pour moi, c'est que je te vois au-dessus du vide et que c'est moi qui dois t'empêcher de tomber... La paternité, c'est ça aussi : avoir mal à ses enfants chaque fois qu'ils sont malheureux... C'est à vouloir se foutre à l'eau... Fais pas attention, j'ai rien dit. Je déconne, ça fait passer le reste.

FILS

Ça m'a pris tellement de temps à me décider à venir te voir. Je savais qu'une fois devant toi, je dirais tout, n'importe comment, mais je savais aussi que t'étais le seul à pouvoir m'écouter... jusqu'au bout. Tant que j'ai eu un espoir, j'ai attendu. Maintenant, j'en ai plus.

PÈRE

Mais si, mais si. On trouvera bien une solution. Donnons-nous le temps. Faut d'abord laisser retomber la poussière.

FILS

Je peux pas retourner chez moi.

PÈRE

Installe-toi ici pour quelques jours, si tu veux. La maison est pas encore vendue. Tu pourras réfléchir plus calmement. On parlera de tout ce qui t'arrive... de ce qui nous arrive. Moi aussi, je vais avoir des moments plutôt désagréables à passer. Avec ma mère, avec ton frère et ta sœur... Tu sais, en fin de compte, cet... affrontement que nous venons d'avoir va s'avérer positif pour moi, je pense. Il va me permettre d'aller au fond de la question et de faire face à la musique.

FILS

Je voudrais ben pouvoir en dire autant.

PÈRE

Pour l'instant, on devrait se préparer un petit lunch, qu'est-ce que t'en dis? J'ai des restants dans le frigo, je crois. Je vais regarder. *(Frigo ouvert.)* Y a du fromage... Avec une soupe en conserve, ça serait parfait. Y a des biscottes dans l'armoire...

FILS

Fais rien pour moi, je pourrais rien avaler.

PÈRE

T'es pas raisonnable, voyons.

FILS

Je préfère ne rien manger, ça passera pas, c'est inutile.

PÈRE

Bon, comme tu veux. *(Frigo fermé.)* Ça me coupe l'appétit, si tu manges pas avec moi. Et puis, on mange toujours trop... Qu'est-ce que tu dirais d'aller prendre une marche, s'asseoir dans le parc?... Comme dans le bon vieux temps, quand on allait lire, tu te souviens?

FILS

C'est fini, malheureusement, la belle époque de Tintin.

PÈRE

J'en ai retrouvé quelques-uns en faisant mon inventaire. Dans un piteux état, je dois dire. Irrécupérables, j'ai dû les mettre aux vidanges... Peut-être que c'est la meilleure chose à faire avec le passé, le mettre à la poubelle et aller de l'avant... C'est ma solution à moi, en tout cas. Faut pas que ce qu'y a eu derrière nuise à ce qui est devant toi. Y a toujours quelque chose de neuf à découvrir, crois-moi. Suffit de regarder... Allons, force-toi un peu. Que veux-tu, moi, je suis un optimiste, je ne peux pas me complaire dans la morosité, quand y a le soleil, les fleurs, la vie à portée de ma main. En plus, toi, t'as la jeunesse, la beauté, la santé. Qui dit mieux?

FILS

(Petit temps.) Tu sais, papa, je t'ai menti.

PÈRE

Puisque moi aussi je l'ai fait, nous sommes quittes, disons.

FILS

Je t'ai pas tout dit sur... sur... mes fréquentations.

PÈRE

Tu n'es pas obligé de tout me dire non plus. J'en sais assez pour connaître ton problème.

FILS

Ça fait dix ans que je sors avec... des gars. Ben avant que maman me le dise à propos de toi. Au début, je me pactais, pis je ramassais n'importe qui... Je me suis fait voler, je me suis retrouvé dans des trous, j'ai été chanceux de pas me faire battre ou tuer... ou de frapper un mineur et de me faire prendre...

PÈRE

Pourquoi prendre tous ces risques, quand y a d'autres moyens de rencontrer des... partenaires sexuels.

FILS

... Parce que j'aime les jeunes bums...

PÈRE

Quoi dire à ça?... Pourquoi certains aiment-ils les barbus, pourquoi d'autres aiment-ils les petits gars, pourquoi aimer les gros, les poilus, les lutteurs? Pourquoi jusqu'à l'infini... sans oublier les sados, masos et autres coprophages qui n'ont pas demandé à naître ainsi.

FILS

Qu'est-ce qu'on fait quand on est fucké en venant au monde?

PÈRE

Un aveugle qui accepte pas son handicap verra pas plus clair pour autant.

FILS

Le fatalisme... oui, je sais. Ça arrange ben des gens de dire: «C'est comme ça, j'y peux rien.»

PÈRE

En prenant des informations auprès des AA au sujet de ta mère, j'ai lu une prière qu'ils font. Ça parle de changer ce qu'on peut changer et d'accepter le reste auquel on ne peut rien. C'est à peu près ça, si ma mémoire est bonne... Un alcoolique l'est pour sa vie entière, un homosexuel aussi. Ce qu'il peut changer, ce sont ses comportements.

FILS

Oh! ça pourrait aller ben plus loin que ça pour moi.

PÈRE

Qu'est-ce que tu veux dire?

FILS

Quand j'en aurai assez, je sais ce que je ferai.

PÈRE

Dis donc pas de bêtises. (*L'échange monte d'un cran pour la suite.*)

FILS

J'ai ce qu'y faut dans mes poches. Regarde. (*Il sort un revolver.*)

PÈRE

Non, mais tu es fou?

FILS

Ma mère l'a fait, pourquoi je le ferais pas?

PÈRE

C'est pas une raison.

FILS

Tu l'as dit toi-même, tantôt, que c'était un acte positif.

PÈRE

Pour ta mère, oui. Sa souffrance était trop grande.

FILS

La mienne, ma souffrance, tu crois pas qu'elle existe?

PÈRE

Je dis pas ça, mais...

FILS

Tu sais pas où je suis rendu, toi. Y a rien que moi qui le sais.

PÈRE

Toute l'aide possible que je peux t'offrir est là. Dis-moi ce que
je peux pour...

FILS

Tu pourras rien empêcher, maintenant. Personne y peut rien.

PÈRE

Même pas tes enfants?

FILS

Surtout pas mes enfants. J'aurais trop honte devant eux.

PÈRE

(Temps. Conciliant.) Donne-moi ce revolver.

FILS

(Ferme.) Pas question. *(Il remet le revolver dans sa poche.)*

PÈRE

C'est du chantage que tu me fais?

FILS

Non. Je te préviens, simplement.

PÈRE

On nage en pleine hystérie. Y a pas d'autre mot.

FILS

Appelle ça comme tu voudras.

PÈRE

T'avais tout planifié ton scénario, étape par étape.

FILS

Et j'ai pas fini.

PÈRE

J'en aurais pourtant assez entendu, je t'assure.

FILS

Tu sais pourquoi j'ai choisi de venir te voir aujourd'hui? Et non
demain?

PÈRE

T'as une raison particulière?

FILS

Oui. *(Il sort un papier.)* Tiens, c'est confidentiel, mais tu peux lire.

PÈRE

Qu'est-ce que c'est? Un rapport médical?

FILS

J'ai reçu ça ce matin, au bureau.

PÈRE

(Temps.) Tu es séropositif. *(Sans interrogation.)*

FILS

Dans quelques années, j'aurai le sida.

PÈRE

(Temps.) Et tu vas mourir.

FILS

Puisque la guérison semble pas pour bientôt.

PÈRE

Condamné à mort sur un bout de papier. Tiens, reprends ça, je veux plus le voir.

FILS

(Temps.) Je sais pas de qui je l'ai attrapé, le virus. Homme ou femme!

PÈRE

Qu'importe le ou la coupable, le mal est fait.

FILS

Inutile de me dire que j'aurais dû prendre des précautions.

PÈRE

On dit ça aux adolescents, oui. Les adultes ont pas besoin de conseils... surtout de leurs parents qui sont dépassés en matière de sexualité. Au fond, notre éducation... la «grande noirceur» nous a préservés, contre notre gré, de bien des dangers. La peur nous a empêchés de nous lancer dans la promiscuité actuelle... C'est vieux jeu, ce que je dis, mais tout n'était pas mauvais à l'époque de ma jeunesse... même si on pouvait contracter la syphilis ou autre gâterie du genre, à l'occasion. Heureusement, les antibiotiques ont fait leur apparition. Tandis que maintenant, avec le sida...

PÈRE

FILS

On a beau promettre des vaccins et des vaccins à plus ou moins longue échéance, y a jamais rien qui se produit. On patauge dans le brouillard.

PÈRE

On retarde la progression de la maladie dans beaucoup de cas.

FILS

Quelques années de différence, est-ce que ça compte?

PÈRE

Ne sois pas défaitiste. Si on trouvait un remède prochainement? On a bien fini par vaincre la tuberculose qui tuait des millions de gens...

FILS

... qui ne sont pas ressuscités pour autant.

PÈRE

Non! Je parviens pas à comprendre comment la nature s'ingénie à créer des virus de plus en plus violents. On en maîtrise un et il en sort un autre plus complexe et plus mortel. C'est la grande lutte de l'homme contre la mort.

FILS

Jusqu'à présent, c'est la mort qui a gagné à tout coup. Y a pas d'issue.

PÈRE

Qu'est-ce que c'est que tous ces cancers qui nous rongent à une vitesse épouvantable!

FILS

Y en a qui disent que c'est la punition du ciel. Comme Sodome et Gomorrhe. Suffirait de prier pour arrêter le courroux de Dieu. (Il se moque.)

PÈRE

Ça nous ramène au temps des neuvaines.

FILS

(Moqueur.) Pourquoi pas essayer le cilice, la flagellation, l'exorcisme? Ça éloignerait le démon.

PÈRE

Quand on a utilisé tous les moyens de guérison possibles, j'imagine qu'on en arrive à recourir aux charlatans, aux guérisseurs et à l'huile de Saint-Joseph.

FILS

(Toujours moqueur.) La foi transporte les montagnes, hein?

PÈRE

J'en demanderais pas tant, je t'assure.

FILS

(Aigre.) Comment tu veux croire que Dieu existe, premièrement, quand tu te ramasses avec un «cadeau» comme celui-là?

PÈRE

Oh! les aveugles, les sourds et les infirmes de toutes sortes sont là pour prouver que Dieu est pas si bon qu'on le dit. Inutile de le blâmer, la nature ne fait pas si bien les choses non plus. Elle a sa grande part d'erreurs. Et nous l'aidons par notre négligence et nos abus. Tu vois, me voilà en train de faire mon petit discours écolo! C'est bien le moment!

FILS

Puisqu'il faut trouver un coupable à tous nos maux!

PÈRE

C'est à se péter la tête sur les murs tellement c'est absurde.

FILS

Puisqu'on naît pour mourir, de toutes façons, un peu plus tôt, un peu plus tard.

PÈRE

Je te reconnais pas. Je t'ai toujours vu plein de vie.

FILS

On est tous des cadavres en puissance, pourtant.

PÈRE

Tais-toi, tu me fais frémir avec ta lucidité morbide.

FILS

Si je pouvais faire abstraction de ce que je sais maintenant. Hier, je pensais autrement. J'avais encore un doute pour me raccrocher.

PÈRE

Qui a dit: «Tant qu'il y a de la vie, y a de l'espoir»?

FILS

Y devait pas avoir le sida, sûrement.

PÈRE

T'as pas le sida, t'as des années devant toi avant de... de...

FILS

Je sais. Faut être positif... Je le suis... SÉROpositif, oui.

PÈRE

T'es encore sous le choc...

FILS

Crois-tu que ça va être moins pire demain ou le mois prochain? On peut pas remonter dans le temps... Tout d'un coup que ça serait pas vrai?

PÈRE

Trop tard, nous sommes déjà dans la tragédie... ou dans un film italien. La réalité a fini par dépasser la fiction.

FILS

Tu comprends maintenant pourquoi je peux pas retourner à la maison. *(Il remet le papier dans sa poche. Un long temps.)*

PÈRE

Ta femme, dans tout ça?

FILS

Elle sait rien.

PÈRE

Et elle risque d'avoir le virus, elle aussi?

FILS

Oui.

PÈRE

Vous voilà dans un beau pétrin. *(Temps.)*

FILS

Je vais avoir besoin de toi, papa.

PÈRE

(Chargé d'émotion.) C'est si commode d'avoir un père, hein? On peut lui demander de faire des miracles... surtout si on sait qu'il est coupable d'un travers à l'autre. Un peu plus de culpabilité par-dessus le reste, ça changera pas grand-chose... *(Presque accusateur.)* Tu m'as piégé; je me sens coincé de toutes parts.

FILS

Au point où j'en suis, je vais mourir pareil.

PÈRE

(Dur.) Essaie pas de faire vibrer la corde de la pitié, je t'en prie. *(La voix tremblante.)* Comme si je pouvais t'empêcher de mourir!...

FILS

Je te demande seulement d'être là.

PÈRE

À te regarder sombrer dans la déchéance comme j'ai regardé ta mère sans pouvoir la retenir?

FILS

J'ai ce qu'y faut dans ma poche pour que ça se fasse rapidement, je te l'ai montré.

PÈRE

(Pleurant.) Tais-toi avec tes conneries... Je te défends de faire des menaces de suicide pour arriver à me faire faire ce que tu veux... Laisse-moi prendre mon respir, au moins, avant de... de... Je sais plus, je sais plus, excuse-moi... j'ai l'air d'un parfait imbécile! *(Se ressaisissant.)* J'ai l'impression que le Stade olympique en entier va s'écrouler sur moi...

FILS

Moi, je suis déjà en dessous.

PÈRE

Mon pauvre petit. Je te regarde et j'ai le sentiment que tu es devenu l'autre dont on parlait à propos de Rimbaud. Je te reconnais pas, enfoui sous tous ces débris... Pourtant, y faut que je te tire de là... malgré moi. Ton frère et ta sœur savent rien de ça, hein ?

FILS

Non. Y ont pas à savoir non plus... enfin, pas maintenant. Quand je serai parti, tu leur diras.

PÈRE

Belles conversations en perspective !

FILS

Préférerais-tu avoir le sida ?

PÈRE

(En dessous.) Joue pas au cynique, c'est pas le moment.

FILS

Si tu savais comme rien n'a d'importance quand on a le papier que j'ai eu ce matin. Et une prescription à faire remplir... pour faire patienter la méchante maladie. Je pense même pas à sauver ma peau...

PÈRE

Malheureusement, t'es pas le seul impliqué. Ta femme doit savoir immédiatement. Tu dois la prévenir.

FILS

Jamais ! Tu lui diras, toi.

PÈRE

(Ferme.) Tu te conduis comme un vrai couillon.

FILS

J'aime mieux me faire traiter de couillon que de tapette.

PÈRE

(Idem.) Surtout quand on est les deux à la fois !

FILS

(Criant.) Je vas te tuer, maudit écœurant ! Je vas te tuer ! *(Il le frappe d'un coup de poing violent. Le père tombe. Temps. Il se lève.)*

PÈRE

Va-t'en. *(Très sec et fort.)* Sacre ton camp!

FILS

Papa, j'ai pas voulu...

PÈRE

Peu importe ce que t'as voulu. Ce qui compte, c'est ce que t'as fait.

FILS

Papa, je voulais pas...

PÈRE

Approche-moi pas.

FILS

Tu me connais, je perds le contrôle des fois.

PÈRE

Moi, j'ai jamais levé la main sur toi. Jamais!

FILS

Je sais pas ce qui m'a pris.

PÈRE

Oh! je le sais très bien ce qui t'a pris. Tu peux pas admettre de te regarder en face. Tu nies tout autant ton homosexualité que ta lâcheté. T'es une lavette. Rien de plus, rien de moins. Alors, compte pas sur moi pour assumer tes bêtises à ta place. Tu sais ce qui te reste à faire. La porte est là, va-t'en.

FILS

(Temps.) Si je pars, je vais me tuer.

PÈRE

(Dur.) Cesse de me faire du chantage.

FILS

Je vas le faire, provoque-moi pas.

PÈRE

T'es ben trop feluette pour avoir les *guts* de te suicider.

FILS

Fais attention à ce que tu dis. Je suis capable de te planter encore une fois.

PÈRE

Ça prouvera une fois de plus que t'as l'intelligence dans les poings. *(Temps.)* T'es mieux de partir avant qu'on se fasse encore plus de mal.

FILS

(Temps.) Tu peux ben parler de moi qui ai pas les couilles de prendre mes responsabilités. Tout ce que tu trouves à faire, c'est de me sacrer dehors en te lavant les mains. Déjà que tu refuses d'être la cause de la mort de maman, à présent tu veux pas envisager que je me suicide à cause de toi.

PÈRE

(Temps intense.) Inutile de continuer tes insinuations. Je t'écoute plus. Quoi que tu dises ou que tu fasses, tu réussiras pas à bousiller ma vie en m'obligeant à encaisser les conséquences de tes actes à ta place. J'ai payé pour mes conneries, j'ai pas à payer pour celles de mes enfants. Ça m'est égal, maintenant, que vous disparaissiez de ma vie. Si ton frère et ta sœur doivent réagir comme toi vis-à-vis de moi, je préfère ne plus les voir, eux non plus. Vas les retrouver pour leur raconter tes dernières prouesses à mon endroit. Y vont sans doute être fiers que leur grand frère ait corrigé leur père à leur place. Tu pourras aussi leur faire le message qu'y sont rayés de la carte pour moi. Comme tu l'es, toi aussi. T'as dépassé les limites. Si tu veux un père, tu t'en « tricoteras » un, ok? Quant à moi, je t'ai assez vu. Fiche le camp.

FILS

Je m'en irai pas.

PÈRE

Parfait. Reste, si tu veux, libre à toi. Mais moi je m'en vais.

FILS

Je veux pas rester tout seul.

PÈRE

T'as une femme et deux fils, va les retrouver. Tu les salueras pour moi. Salut!

FILS

(Il prend son père dans ses bras.) Papa! Papa, reste avec moi, je veux pas... Si tu pars, je vas me tuer. Y a rien que toi qui peux m'empêcher. Reste avec moi, j'ai peur, papa, j'ai peur de moi... Je te jure que je te fais pas de chantage. J'ai peur!

PÈRE

(Avec douleur.) Quand t'étais petit, t'avais de ces frayeurs soudaines qui te donnaient la panique. Personne pouvait te consoler ou te calmer si j'étais pas là. Y suffisait que ta mère m'appelle au bureau et que je te parle, la frayeur s'en allait. Je me sentais comme un magicien qui, d'un geste ou d'un mot, fait disparaître les objets mystérieusement... C'était facile, tes peurs étaient bien anodines, la plupart du temps. Tandis qu'aujourd'hui j'ai aussi peur que toi.

FILS

Tous les deux ensemble, on aurait peut-être moins peur.

PÈRE

(Long soupir.) On est toujours un enfant devant le danger.

FILS

Devant son père aussi.

PÈRE

(Avec rancœur.) Vous avez toujours le mot juste pour nous mettre face à face avec *votre* réalité, vous autres, les enfants, sans tenir compte de la nôtre. Vous nous soutirez tout ce que vous pouvez jusqu'à notre mort; et même après notre mort, vous vous acharnez encore sur notre héritage.

FILS

Je te demande seulement d'être là, avec moi.

PÈRE

Pour dix ans à venir, peut-être? Que j'hypothèque ma vie jusqu'à ma pension de vieillesse parce que tu peux pas prendre tes responsabilités?... Non!... Y a des conditions à remplir de ta part avant tout.

FILS

Lesquelles ?

PÈRE

La première et la plus urgente, c'est de mettre ta femme au courant.

FILS

Tu peux lui dire, je suis d'accord.

PÈRE

Non. TU dois lui dire.

FILS

Je peux pas.

PÈRE

Alors, moi non plus. Je t'aiderai si tu fais le premier pas.

FILS

(Buté.) Je l'ai fait, je t'ai tout avoué.

PÈRE

(Sur le même ton.) En m'accusant, oui. Parce que, si on va par là, toi qui me rends responsable de la mort de ma femme, tu pourrais bien l'être aussi de la mort de la tienne.

FILS

(Temps.) J'aime mieux crever avant.

PÈRE

Compte pas sur moi pour t'en empêcher. Je m'en vais. T'auras le champ libre. Salut !

FILS

(Ferme.) Tu partiras pas. *(Il sort son revolver.)*

PÈRE

Je te préviens, j'ai fini de parlementer avec toi. *(Téléphone qui sonne. Il décroche.)*

PÈRE

Allô !... Ah ! Bonjour !... Oui, oui, il est là ! Ça tombe bien, il a quelque chose d'important à te dire... Un moment, je lui passe l'appareil... Tiens, c'est pour toi, c'est ta femme.

FILS

Je veux pas y parler.

PÈRE

(Au téléphone.) Allô! Est-ce que tu pourrais...

(Il n'a pas le temps de finir. Le fils sort le revolver et tire sur son père qui s'écroule. Le fils va vers lui. Il n'ose pas le toucher. Il panique. Il regarde le revolver et le téléphone décroché... Il sort vivement en laissant la porte ouverte...)

RIDEAU

Achevé d'imprimer chez
MARC VEILLEUX IMPRIMEUR INC.,
à Boucherville,
en novembre deux mille un